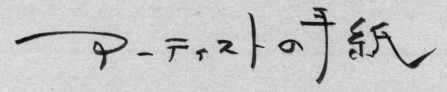

アーティストの手紙

ダ・ヴィンチ、ゴヤ、モネ、ロダン、ウォーホル…100人の気がかり

著者：マイケル・バード　翻訳：大坪健二

マール社

目　次

CHAPTER1
FAMILY & FRIENDS

新入りのキリンを
見ました

家族、友達へ

CHAPTER2
ARTIST TO ARTIST

夢遊病者の
ように

アーティストから
アーティストへ

CHAPTER3
GIFTS & GREETINGS

魔法の本

ギフトカードと
見舞い状

CHAPTER4
PATRONS & SUPPORTERS

私が描いた中で
最高のもの

パトロンと
支援者たち

は　じ　め　に

　1502年2月のヴェネツィア。ある夜のわずかな時間に、アルブレヒト・デューラーは親友宛の手紙に署名をして封を閉じた。宛名は著名な弁護士兼人文主義学者のヴィリバルト・ピルクハイマー。デューラーの故郷ニュルンベルクの友だ。デューラーはアルプスを越える400マイルの旅をして、数週間前にこのヴェネツィアに到着した。その旅の大半は徒歩によるものだった。裕福な友人からの資金提供を受けて彼はヴェネツィアで1年を過ごす。そしてプロポーションや遠近法などのさまざまな技法、さらにイタリア人アーティストたちの秘技を研究した。北方出身らしい無骨さを持ち、ヨーロッパでは"洗練されていない"とされたドイツ語を話す画家は、独自のやり方でイタリア人アーティストたちを凌げることを、証明することになる。デューラーの手紙は冬のぬかるんだ道路や峠越の道を辿って、彼と同じ道を旅してドイツに戻り、その月末までには無事にピルクハイマーに届く。デューラーは手紙の中で、母親が「支援してくれる友人に不快な思いをさせているのでは?」と心配し、友人に手紙を書くように口うるさく言ってくることをぼやいている。今は幸い良くなっているが、デューラーは皮膚に発疹ができたために、しばらく絵を描くことができないでいた、とも。彼はピルクハイマーの恋愛生活を優しくからかう。そんな近況報告や愚痴、軽い自慢話などの合間から、今私たちが「アート界」と呼んでいるものは、実際どのようなものだったのかを知ることができる。

　デューラーは十分意識していたと思うが、この手紙を書くことで、自らはこの「アート界」の住人であることを誇示している。大多数の人たちが読み書きのできない社会において、アーティストたちは文筆家や思想家、弁護士といった上層階級の人たちと対等に会話することができた。デューラーは、「センスと知識の持ち主、リュート奏者や管楽器奏者、絵の鑑定家、非常に高貴な感情や嘘偽りのない美徳の持ち主」たちが、彼と友達になりたがっていること、そして、彼が最も称賛す

るヴェネツィアの画家ジョヴァンニ・ベッリーニが、彼の作品に関心を持っていることを、誇らし気に報告している。デューラーの父親は第1人者の金細工アーティストだったが、彼はこういった人たちと繋がりを持ったことは全くなかっただろう。ヨーロッパのアーティスト的な生活において、本や音楽、鑑定や外国旅行、そして自分の考えや印象について長い手紙を書くことは新しい流行の1つであった(ましてデューラーのいた北方ヨーロッパにおいては、イタリア以上に新しいことだった)。

　1550年12月にミケランジェロが甥リオナルドに書いた手紙の筆跡も、デューラーと同様に自由な知識人のものであり、決して請負職人のそれではない。内容はチーズや花嫁選びといった家庭的なことだが、人文主義学者たちが考えを共有するために生み出した、美しくきっちりとした手書き文字で書かれている。また1559年、ベンヴェヌート・チェッリーニが80歳代のミケランジェロに宛てた

手紙は、芸術家の自尊心が最高潮に達していることを示すものである。手紙の中でチェッリーニはミケランジェロに、彼がまるで王子であるかのように話しかける一方で、自伝の中で彼自身は「誰からも命令されない」クリエーター・ヒーローという役割を演じている。

　この選集には95通、100人のアーティストたちの手紙が収められている。1482年頃、レオナルド・ダ・ヴィンチがミラノの専制君主ルドヴィーコ・スフォルツァに送った履歴書から、1995年にシンディ・シャーマンがアート・ライターのアーサー・C・ダントーに宛てた感謝の葉書まで、西洋のアーティストたちの「手紙の書き手」としての歴史全体を、ほぼカバーしている。まさにアナログな文書である手紙は、手書きされたり、タイプライターで打たれたり、ファックス機で送信されて、時には文字が見えなくなったりする。「物」としての手紙は、触れられ、見つめられ、折りたたまれ、広げてしわをのばされる。封筒やジャケットのポケットにしまわれ、ブックマークとして使われ、お茶会で皆に取り囲まれたりもする。時にはネズミにかじられ、靴箱に忘れられることも。メアリー・サヴィが述べているように「手書きの手紙は、言葉とアートを織り合わす、紙の上のパフォーマンス」である。1990年代半

ば以降、私たちはその「紙の上のパフォーマンス」に代わるデジタルな手段を得て、だんだんその方が良いと思うようになった。1995年から2495年までのアーティストたちの手紙の選集(もしそういうものを読みたいと思う人がまだいれば、だが)は、色々な意味で薄っぺらな出版物になるだろう。

　友達や恋人がお互いに手紙で語り合うことは、500年経った今もそれほど変わっていない。デューラーはピルクハイマーに「君がここにいたらどんなにかいいのに」と言う。ベン・ニコルソンは1931年、バーバラ・ヘップワースへ「急に、君に会いたくなった」と走り書きする。その側でベンの妻、ウィニフレッドが「幸せそうに絵を描いている」とも書いている。そして1956年、リー・クラスナーはジャクソン・ポロックに「あなたに会いたい、あなたも同じ気持ちでいてくれたなら」と、手紙を書いている。リーは気難しい夫から離れて、パリで休息したいと思っていたのだ。こうした手紙は、電子メディアには決してなしえない形で、人々の心に訴えかけてくる。手紙を手にしているということは、書き手と読み手が、離れた場所で隔てられていたという証だ。恐竜の骨や古代の陶器の破片のように、この本に収められている手紙には、それがどのような状況で書かれたものなのか、その背景を知る糸口が編み込まれている。筆跡のスタイルや紙の種類といった物理的な糸口に加えて、その内容を通してさまざまなバックグラウンドも見えてくる―いつ、どこで、誰に対して書かれたのか? 好んで使っている言葉はあるか? どんなフレーズを選びとっているのか? また史実と結び合わせた時、何が見えるのか…? この意味で、書き手が椅子に腰を下ろして手紙を書く瞬間を想像しその時間を蘇らせる喜びは、アーティストたちの手紙も、他のどのような往復書簡集も、少しも変わらないだろう。

　もし違いがあるとすれば、アーティストたちの手紙がわたくしごとを超えて美術の歴史内部にもたらしてくれる「洞察の多様性」と、わずかだがそれに付きものの「意外性」だ。クラスナーがポロックに宛てた手紙は、純粋に結婚の一場面として読むことができるだろう。アルコール中毒の"偉大な白人男性"を夫に持つ妻は、大西洋の向こう側に渡った時、自分の気持ちが改めてポロックに向

いているのを実感している。ポロックは真紅のバラを彼女のホテルに送る。心の奥底で彼女は、ポロックとキスをしたり、メイクして出かけたりすることを望んでいるが、表には出さない。そしてまるで条件反射のように彼の機嫌を尋ねてしまう。「気分はどう、ジャクソン?」クラスナーがエアメールの便箋に綴っている全ての場所や人物、そしてそれらの諸関係に目を向けて、1つひとつの糸を全て辿るなら、戦後のアメリカ絵画とヨーロッパ絵画における物語の、全エピソードを紐解くことが可能だ。これは十分、1冊の本に値するだろう。手紙に添えたそれぞれの短い解説で、私はそうした「糸」をいくつか引き出してみたが、本来、手紙はこのように解釈されるべきものではないかもしれない。それらは昔から、贈り物のように封をされ、あるいは包装され、送られた人だけが封筒にハサミを入れる権利を与えられてきた。私たち宛ではない、ここにある手紙を読む時、奇妙なことだが本人たちのプライバシーは存在しない。

この本における最も親密な往復書簡で、アートの大きな物語に大胆に絡んでくるのは、19世紀のフランスの彫刻家たち、カミーユ・クローデルとオーギュスト・ロダンのものである。それは、有名な中年の天才が、若くて美しい、才能を持ったアシスタントに恋をした時に始まる有名な物語である。カミーユは、ロダンがこれまで経験したことがないくらい長い間、彼の思いを拒否していた。生まれつき口下手なロダンは、クローデルへの手紙の中で言葉で彼女をベッドに引き入れようとして、何度

も失敗している。彼は、すでに制作中だったと思われる彫刻《永遠の偶像The Eternal Idol》の男のように、彼女を崇めるようにひざまずく自分を記述している。クローデルからロダンへの手紙は、時を置いて彼らの新婚旅行の時期から始まる。ロワール地方の小さく瀟洒な城で人目を避け、できるだけ多くの時間を共に過ごしていたのだ。ロダンは自分の感情に包まれつつも、彼女の感情を測りかねているかのように、彼の手紙は自分のことだらけである。一方クローデルは、彼女がどれだけロダンのことをよく理解しているのかを、繊細かつ、感動的にすら伝えている。彼女は公衆浴場へ行く代わりに、川で泳ぎたいと訴える。ロダンはパリで、白い飾りのついた紺色の水着を買ってやることができるだろうか? それらを理解するためには、ロダンは実際に水着に触れなければならない。大事な仕事から離れ、また長年連れ添ったローズ・ビューレも側にいない彼に、そのミディアム・サイズの水着のショッピングは、クローデルの身体を意識させただろう。クローデルは、ロダンが何を想像しているか、また彼を連れ戻すのは何なのかが分かっている…と手紙を締めくくっている。「私は何も身に着けないで眠るわ。あなたがそこにいると感じられるから」。しかしクローデルとロダンの愛の夏は、ハッピー・エンドへの序章というわけにはいかなかった。彼らの関係は、最終的に彼女の心を壊してしまったのだ。何が起こったのか分かっていながら、若く自信に満ち、幸せで、あからさまにエロティックな自分が書いた手紙に、悲劇的なアイロニーを込めることは簡単だ。しかしその予兆は以前からあっただろう。誘惑が未遂に終わったロダンのかつての手紙に忍び込む口調…自己憐憫や攻撃的な態度の中にも、クローデルの「これ以上、私を惑わさないで」という後書きの中にも。ここで、私たち読者は気まずいまでに、その部屋に居合わせる第3者であることを意識せざるを得ない。

愛、お金、職業上の友情や競争、あるいは単にその問い合わせに返事を急がなければという義務感…作家と受取人の関係が、それぞれの手紙の性質を決定付ける。手紙の受取人たちは時に、手紙に潜む歴史的な価値に気付いて手紙を保管し、かつ手紙が美術館や

アーカイブスに行き着いた人々であったゆえに、受取人の名前も多くが芸術年鑑に登場する。17世紀の詩人で作曲家、外交官でもあり、王子の芸術顧問だったコンスタンティン・ホイヘンスや、革命ロシアの人民教育委員アナトリー・ルナチャルスキーのように、彼らの地位によって名前が良く知られた、歴史上の人物たちもいる。またルノワールのパトロンのジョルジュ・シャルパンティエ、NYのディーラーであるレオ・カステリ、評論家兼キュレーターのルーシー・リパードなどのように、コレクションや展覧会、作品解釈、販売など、何らかの形で美術界の空模様を変えながら、彼らの時代の文化経済を形作るのに貢献した人々もいる。

アーティストが手紙を書く理由は、作品そのものと同様に、しばしばこのアート界の支援システムに関係している。レンブラントとホイヘンス間の書簡は、正当な理由で不満を訴えながらも、その中にいかにして敬意を込め、慎みある調子を注ぎ込むか…？ についての良い実例である。これは16世紀から現代までのアーティストの手紙における共通のテーマで、ストレートに言えば「私の報酬はどうなっているんだ？」ということである。クールベがシュヌヴィエール侯爵に宛てた無愛想で警戒した手紙はまさに、世界的な成功の大部分を、軽蔑せざるを得ない人々に負っている1人のアーティストが書いたものである。ジュディ・シカゴはルーシー・リパードに対して、1970年代の女性芸術運動の仲間で、イデオロギー上の同志に対するものとして手紙を書いている。アーティストたちを支援する人々の役割は、天職そのものだ。オットー・マウアー、ジョン・ローゼンシュタイン、サム・ワグスタッフ、エリカ・ブラウセンは、彼らが支持する芸術家たち（ヨーゼフ・ボイス、ヘンリー・ムーア、アグネス・マーティン、そしてフランシス・ベーコン）と同じ程度には知られていない。しかしこれらの手紙の中では少なくとも、双方向的な関係が存在していることが分かる。

書き手がもっとも自分の心をさらけ出したり、絵を添えたりしているように思えるのは、アーティスト間の手紙である。セバスティアーノ・デル・ピオンボは確実に報酬を受け取るために、彼の「最高の」盟友であるミケランジェロが、自分のコネを利用してくれることを願いながら、「実は、お金がないの

です」と白状する。またドロテア・タンニングはジョゼフ・コーネルへの手紙の中で「時々ね…」と物思いに耽る。「愛する人たちとの、本当に満足のいく唯一のコンタクト手段は、話すことより手紙だと思うの。…私たちがNYで疲れすぎた時、手紙は話したりする以上に、感情のバロメーターになってくれるわ」。オーストラリアのアーティスト、マイク・パーはヨーロッパでのパフォーマンス・アート・フェスティバルで出会ったウライとマリーナ・アブラモヴィッチに、ブーメラン10個を送ってくれるよう頼まれた。それに応えて彼はクイーンズランドへのシュールレアルな旅行を詳細に語る。「あなたを夢の中にいるような気分にさせる、地平線の端まで這うように走る空間」を通過する「クレイジーさの典型のような、オーストラリアの汽車での1,000キロメートル」の旅のことを。手紙を書くというプロセス、つまり「言葉とアートを織り合わせる」ことは時に、作品について考えることにも繋がる。ファン・ゴッホはゴーギャンへの手紙に、今や有名となったアルルの寝室の絵について記述し、色をどうするつもりか、説明書きを添えている。「壁は薄紫、床は切れ切れで褪せた赤、椅子とベッドはクロームの黄、…窓は緑」。そして 彼がどれほど「これらの異なる色を全部使って、完璧な安らぎを表現したいと思った」かについても。第1次世界大戦中、NYにいたマルセル・デュシャンが、パリにいるアーティストの妹シュザンヌへ宛てた手紙の中の「une sculpture toute faite（「すでに作られた彫刻」）」というフレーズは、次の便箋では「レディ・メイド」に

なる。彼がこの用語を使った最初の「記録」は、デュシャンがコンセプチュアル・アートに大きく貢献したことを物語っている。

　アート・ゴシップに目を走らせたり、誰かの個人的な関心ごとを覗いたりすることは、胸を高鳴らせる。「私はゆっくりと進歩しているようだ」というセザンヌのフレーズは、画家としてその高みにいた初老の彼の心境を明らかにする。現実世界がなければアートの世界はタレント・ショーに過ぎない。ルーブル・デパートやボン・マルシェでのショッピングを依頼するクローデルの手紙からは、ベル・エポックという文化的現象、民主化された新しく小粋なパリのデパートが垣間見える。私たちはまた、次のようなエピソードもよく耳にする。ヴァネッサ・ベルの住宅改修計画「壁を白か他の色で統一するべき」、ミケランジェロの甥が彼に送ってきたチーズをどうするかについての考え、モンドリアンの歯の問題、朱耷（八大山人）の便秘、ピサロの同種療法、ホックニーの新しいファックス機、ジョージ・グロスの誕生日パーティー、エヴァ・ヘスの薬、ジュールズ・オリツキーのラップ［食品用ラップ、フィルム］の不足。フランシス・ベーコンは、ローデシアの警官の「糊のきいた半ズボンとピカピカに光るゲートル」を「言葉にするには、あまりにもセクシー過ぎる」と褒めたたえている。またジョン・コンスタ

ブルは、彼の良き指導者ジョン・トマス・スミス宛の手紙を、恐らくそれまで家から20マイル以上は出かけたことのない村の靴職人に、届けるように頼んだと書いている。

　この本に登場するアーティストたちの何人かは文筆家でもあった。ミケランジェロとウィリアム・ブレイクは詩人、デューラーとジョシュア・レノルズは理論家である。また朱耷や王志登のような中国のアーティストの場合、絵画、詩、書のいわゆる「三絶」は彼らの職業にとって、等しく不可欠なものだった。ジョン・ラスキンとエドワード・リアは、その作品よりも本のためによく知られている。しかしこれらの手紙は、相集まって圧倒するほどの視覚的感性を漂わせ、言葉と絵の間をしばしば行き来する。ゴヤは少年時代の友人マーティン・ザパターのためにスケッチした自画像の中で、カリカチュア・モードにスリップする。後に彼は、変幻自在な幻想版画シリーズ《カプリコス（気まぐれ）》でそれを発展させ、深化させることになる。ビアトリクス・ポターは病気の子供への手紙に、彼が元気になることを願う絵を描き、彼女の有名な絵本で後にスターになるアニマル・キャラクターたちのキャストを集め始めている。またポール・シニャックはモネへの手紙の冒頭で、「水彩画療法」による自己瞑想が、温泉での休息よりはるかに健康に良いこ

とを証明するために、ラ・ロシェルの古い港の美しいミニチュア絵画を描いた。

　「レター・セラピー（手紙療法）」は恐らく、デジタルデトックスの標準形式になる―あるいは既になっているだろう。しかし、物理的な文書には欠点もある。時間がかかるし、旅行あるいは、特別な瞬間に特定の場所にいることを要求される。私はオンラインで検索可能な、デジタル化されたアーカイブに収められている手紙の高品質なスキャンを利用できなければ、この選集をまとめることはできなかった。ペーパー・アーカイブをデジタル化し、ドキュメント化することにお金を投じて来た機関は、「形あるものは壊れる」ことが前提だった手紙が、デジタル時代において長い余生を迎えることを可能にする（ここでは、バイネッケ図書館、大英博物館、コートールド・ギャラリー、メトロポリタン美術館、モルガン・ライブラリー＆ミュージアム、テート、スミソニアン博物館を特記しておきたい）。しかしディスプレイ上においてさえ、保存されている手紙は驚くほどそのはかない元の状態を保っている。そこには、束の間の考えや偶然の情報が住みついており、私たちは危険覚悟でそれらを解明しようとする。この選集は、人生の終わりを迎えつつあるアーティストたちによって書かれた2通の手紙で終わる。セザンヌからエミール・ベルナールに宛てた手紙と、トマス・ゲインズバラからコレクターのトマス・ハーヴェイに宛てた手紙だ。ゲインズバラは癌で死を迎えつつある、そして恐らくそのことに気付いている。彼は今、「体の痛みのとてつもない交錯」を経験しているのだが、奇妙なことに、彼はこう述べる。「不思議なことに、子供時代のあらゆる情熱が病気の人間につきまとう。小さなオランダの風景画を初めて模写した頃の、1日に1～2時間も絵から離れていることなどできなかったほどの愛着心。私は本当に子供

だったので、凧を作ったり、金魚を捕まえたり、小さな船を拵えることができたのだ」。

　それはあたかも、この手紙を書き、自分の考えを伝える行為が、彼に束の間の解放をもたらしているようにも読める。彼は少年だった頃、オランダの風景画を模写したり、凧やおもちゃの船を作ったり、自分の手で金魚を掴んだことを思い浮かべる。見ること、描くこと、さまざまな「部分」を1つにまとめあげること、そして色の感情…それが、彼のアーティストとしての全人生だった。

テキストについての注

特記事項

見開きページの左に手紙、右に手紙のトランスクリプト（書き起こし）と解説がある。いくつかのオリジナルの手紙は数ページにまたがっているが、全ての手紙の、全てのページが複製されているわけではない。また手紙のトランスクリプトは、時に完全なテキストの編集版であり、省略した部分は（中略）で印を付けた。スペルミスや非慣例的もしくは欠けている句読点はそのままとし、（中略）で最小限の編集上の補足を行った。役に立つ、あるいは面白いと思われる箇所では、手紙のトランスクリプトに注解を挿入した。既存の翻訳の原典並びに新たな翻訳の翻訳者のクレジットは222-223ページに掲載した。手紙は8つのテーマ別セクションにまとめられているが、年代順ではない。手紙の年代順は218-219ページに掲載されている。

日本語版特記事項

文中の［　］は訳者による補足

CHAPTER1
FAMILY & FRIENDS

家族、友達へ

Artists' Letters

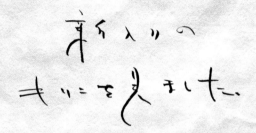

I saw the new giraffe

Très cher Paul : Nous venons de lire une
avec grande ville, la page que tu as écrire
avec Nini? profiter de la permission
qu'en suis sur que vous iseriez comme le
"poisson dans l'eau" venez venez !
Nous avons tellement de questions à
travailler ensemble, (dans le conversation

Nous irons en Amérique l'année prochain, maintenan
il faut que je "fabrique mes choses" qui amènera pour le
première fois a devenir hommes véritablement, quel
heroisme plus original que celui que je suis en train
d'inventer_ Tembrasse et t'arrache la
promesse de venir nous voir
a Arcachon, il y a de très bon poisson, de vitres leurres fins

Ton petit Dalis

cet_ Bonjour Raymond

家族、友達へ

1939年9月、サルバドール・ダリとガラ・ダリは南西フランスのアルカションの海辺の町で、別荘「ラ・サレス」を借りた。1936年にダリの母国スペインで内戦が始まって以来、2人は引越しを繰り返し、ロンドンやパリ、そしてコートダジュールにあるファッション・デザイナー、ココ・シャネルの家に何度も滞在していた。1939年の春、ダリはNYのアートシーンにおいて反逆スターだった。2月から5月にかけて、ジュリアン・レヴィ・ギャラリーでの展覧会や、ボンウィット・テラー・デパート（現在のトランプ・タワーの場所）のウィンドウディスプレイで、彼の作品が展示された。またNY・ワールド・フェアのアミューズメント・ゾーンでは《ヴィーナスの夢パビリオン》を見ることができたのだが、ダリのエロティックで暗示的な夢のイメージとオブジェクトに、会場を訪れた人たちは嫌悪し、興奮したのだった。このパビリオンは、日に晒されたサンゴの洞窟に似た小さな建物で構成されていて、内部にある水を満たした長いガラス・タンクの中を、17人の「液体のように流れる生きた女性」が旋回していた。

ヨーロッパで第2次世界大戦が勃発すると、ダリはフランスのアルカションを避難地として選んだ。ここはドイツ軍が攻めてきたとしても、ぎりぎり最後まで安全な場所になると考えたためだが、もっと重要だったのは、恐らくこの地の料理、特に牡蠣の評判であっただろう。ダリは友人でもある仲間のシュルレアリスト、詩人ポール・エリュアールにややあやしげなフランス語で手紙を書きながら、彼の妻ヌッシュ（"ニニス"）と一緒に遊びに来るように勧めている。しかし同じ月に軍に招集されていたため、それはエリュアールがうんと言えそうにもない申し出だった。ダリの手紙の最後にあるラテン語の言葉遊び「Leonoris Finis est（目指すはLeonorisだ）」は、美しくて顕示欲の強いアルゼンチン人のシュルレアリスト、レオノール・フィニが既に、ラ・サレスにいるダリ夫妻に合流していることを示唆している。1940年8月、ダリ夫妻はフランスを発ってNYに向かい、そこで戦争の残り期間を過ごすことになる。

Artist's Letter

親愛なるポール

僕たちはちょうど、かなり大きな別荘を借りたところだ。もし君がニニスと一緒に来て、売りに出ている物件を楽しんでくれるなら、君が「水を得た魚」のようになることを請け合うよ。おいで、おいで！僕たちは一緒に仕事を続けていくために、お互い聞きたいことがたくさんある。僕たちは来年の秋アメリカに行く予定だから、今「最後まで詰めておく」必要がある。それはようやく、いいものになりかけている。今僕が考えている段階のものより、もっとオリジナリティのあるリアリズムにね。

愛を込めて。僕たちに会いにアルカションに必ずおいで。とても美味い魚と牡蠣がある、それにレオノールもいるしね。

元気で、君の小さなダリより

no puede ser 1800: Bayeu mº 1795.

Londres 2 de Agº de 1800

Martin:

Por Justo Juicio de Dios, te
molestaran mis bobadas, y aunq
silbenng, las puedes jutar con las
tuyas, y echarlas à moder, todos
ellos ganan, con mucho, las mias
pues tengo la banidad de q se pin-
taran solas en el mundo.

Mas te balia benirme à ayudar
a pintar a la de Alba, q ayer seme
metio en el estudio a q la pintase
la cara, y se salio con ello; por cier-
to q me gusta mas q pintar en lienzo
q tanbien la he de retratar de cuerpo en-
tero

y bendra apenas acabe yo, un
borron q estoy aciendo de el Duque
de la Alcudia à Caballo q me
enbio a decir me abivaria y dis-
pondria mi alojamiento en el sitio
pues me estaria mas tiempo del q
yo pensaba: te aseguro q es
un asunto de lo mas dificil q se le
puede ofrecer a un Pintor.

Bayeu lo debia aber echo pero
à huido el cuerpo, y se à echo muchas
beces instancia; pero amigo el Rey, no
quiere q trabaje tanto y dijo dico q se
biria po de meses a Zaraz y dijo el Rey
ningo sean te. Ay lo tienes corejalo
y ayudale a diber.

tanbien tienes esa carta

et en q eneo po q ayas lo q
debes, acer y siento de aya muer
to si es alguno de los dos q yo co-
mo es ay à Dios y si quieres saber
mas pregunta a Clemente

así estoy.......

フランシスコ・ルシエンテス・イ・ゴヤ*1
（1746-1828）から
マーティン・ザパターへ
1794年7月

　フランシスコ・ゴヤとマーティン・ザパターは1750年代、少年だった頃にサラゴサの学校で出会い、1803年にザパターが亡くなるまで親密な友人関係を続けた。1775年にゴヤがマドリードに発った後も連絡を取り合い、ニュースや卑猥なゴシップ、突飛なユーモアを楽しんでいた。（手紙冒頭の、1800年という偽りの日付のように）。ザパターはサラゴサに留まりビジネスマンとして成功した。アーティストとしてザパターに匹敵する成功を収めようとしていたゴヤが親戚を支援するためのお金を、ザパターが管理した。

　1786年、ゴヤは王付きの画家に任命され、1789年のカルロス4世［スペイン王］の国王即位により上級宮廷画家になった。彼は新しい王と女王、拡大した王族やアルバ公爵夫人のような側近貴族たちの肖像画で多忙だった。ゴヤはまた、王立タピスリー工房のためにデザイン制作を続けなければならなかった。彼はこの仕事にマドリード時代の初期から携わっている。しかしこの仕事期間、彼は有毒化学物質に晒されていたようで、1792〜1793年の冬に重病を患い、耳が聞こえなくなってしまった。ザパターへの手紙の中でゴヤは、宮廷画家であることの重圧をほのめかしている。ゴヤの宮廷の同僚で義理の兄（サラゴサの同郷でもある）フランシスコ・バイユーが、アルクディア公マヌエル・ゴドイの騎馬像を描くという厄介な仕事を彼に背負わせたからである。アルクディア公は王のお気に入りで、虚栄心が強く自分本意な人物だった。ゴヤが手紙に添えた自分の戯画像は、2年後、アルバ公爵夫人の館に滞在中に制作した念入りな風刺スケッチを予期させる。そしてこの風刺スケッチが後の幻想的版画連作《カプリコス》の源素材となった。

*1 訳者注：スペイン正式名称としてはフランシスコ・ホセ・デ・ゴヤ・イ・ルシエンテス
*2 訳者注：親戚のうちの1人と思われる
*3 著者注

Artist's Letter

　神の真理! 僕の悪筆は君を悩ませるに違いない。荒っぽいかもしれないが、君のものを隣に置いて比べたら、僕の方が明らかに勝っていることが分かるはずだ。何故なら僕が描いたものは、世界で唯一のものだからね。僕はそれを誇りにすることができる。

　こっちに来て、僕がアルバ公爵夫人を描くのを手伝ってみた価値はあっただろう? 彼女は昨日、僕に顔を描かせるためにスタジオに入って来たが、今それが終わった。僕はこれを書いている時より、キャンバスに向かっている方が断然いい。次は彼女を等身大でも描かなければならない。ちょうど、馬にまたがったアルクディア公のスケッチを終えたところなんでね。公は僕に、彼の館に僕のための宿所を手配させたと言ってよこした。だから、僕は思っていた以上に長期間そこにいることになるだろう。あえて君に話すと、それは画家にとって最高に難しい主題の1つなのさ。

　バイユーがこれをやるはずだったが、彼はその役目から外されてしまった。彼は何度も依頼されたが、王は彼がそんなにたくさんの仕事を引き受けることを望まなかった。休暇を取り、2ヵ月から4ヵ月間、サラゴサに行くべきだと彼に告げたくらいだ。君はそちらでバイユーを受け入れる準備をして、彼の面倒を見たり、滞在を楽しめるよう手伝って欲しい。

　それから君は、僕が行う貸付けを保証する文書を手にすることになるから、処理をしてくれ。しかし彼*2が、私が知っている2人のうちの1人であるなら、彼はとっくに亡くなっている、という気がする。

　じゃあまた。もし何かもっと知りたいことがあるなら、クレメンテ（アラナズ、サパテル秘書）*3に聞いてくれ。僕より。

Spetchen,

Benten End
Hadleigh
I think? Suffolk

Dearest Stephen, Thanks terribly for your letter. It crossed one of Mine
Life for me is no longer the monotony of waking up in a cold room to find
myself with Clap, D.Ts, Syph, or perhaps a poisoned foot or ear!
No Schuster, those happy and carefree days are gone the phrase
"Freud and Schuster" no longer calls to the mind such happy scenes
such as two old hebrews hand in hand in a wood or a bath-
room in Atheneum Court or Pension-day in the Freud-Schuster build.
building but now the people think of freud and Schuster in
bathchairs, freuds ear being amputated in a private nursing
homes, and puss running out of his horn. Schuster in an epilep
tic fit with artifcial funny bones. When I look at all my
minor and major complaints and deseases I feel the
disgust which I experience when I come across intimate
passages in Letters not   written to me.
Cedric has painted a   portrait
of me which is absolutely   amazing.
it is exactly like my face   is green
it is a marvellous picture   I have
painted a portrait and also   a picture
of a cat after it has   been Skinned
Do come down here if you can!   what about

Mrs. p.s at Haulfrynny in   march?
John Jameson has been   down here
for some days and also   a man who
was a great friend   of the strange
enlishmen who threw   fits
to whom tibbles
was employed in Italy.

Here is our Telephone
call. Do you realise that if you
shaved your nose every days you would soo
grow a resonable beard on it? The firm ought to
realise these little things incase of a buissiness drops.

ルシアン・フロイド
（1922-2011）から
スティーブン・スペンダーへ
1940年

ルシアン・フロイド一家はナチス・ドイツからの避難民として、1933年にイギリスに落ち着いた。フロイドは途切れ途切れの中等教育を終えて、セドリック・モリスとアーサー・レット＝ヘインズが運営する、イースト・アングリアン絵画・ドローイング・スクールに入学した。「セドリックは私に絵を描くこと、そして、それを継続することがもっと大切であることを教えてくれた」と、フロイドは回想している。1939年、彼は北ウェールズで2ヶ月を過ごし、そこに短期間ながら、詩人スティーブン・スペンダーが合流した。彼らはシュルレアリスム風のシナリオとスケッチのアルバムを共同制作し、それを「フロイド&シュスター・ブック」（シュスターはスペンダーの母親の旧姓）と呼んだ。それはこの地で、フロイドが愛情を込めて考えついたものである。この手紙の中でフロイドが真似て描いている、モリスが18歳のフロイドを描いた「ありえないくらいに素晴らしい」緑の顔をした肖像画は、現在テート・ギャラリーのコレクションに収められている。

Artist's Letter

ベントン・エンド・ハドリー・サフォーク

最愛のスペテン*1、スティーブン

手紙を本当にありがとう。もしかしたら僕からの手紙と行き違いになったかな？ 人生は僕にとって「淋病、振顫譫妄*2、または病原菌に侵された足や耳を持つ自分を見つけるために、冷たい部屋で目覚める」という単調なものでは決してない！ 違う、シュスター。あの幸福で気苦労のなかった日々は過ぎ去り、「フロイドとシュスター」というフレーズが、心に幸せな場面を呼び寄せる。森の中で手を取り合う2人の年老いたヘブライ人、運動競技場のバス・ルーム、フロイドとシュスターの家での年金受給日…そんな光景だ。今や、人が思い描くのは幌つき車椅子のフロイドとシュスター、私立の老人ホームで切断されたフロイドの耳、彼の角笛から走り出す猫、おかしな人工骨を取りつけられて癲癇状態にあるシュスター、だ。

　自分の大小さまざまの、あらゆる不平や病気を見つめる時、僕は、僕宛てではない手紙の中に、僕のことを言っているような一節に出くわした時のような嫌悪感を覚える。セドリックは、ありえないくらいに素晴らしい僕の肖像画を描いた。それはまさに僕の顔そっくりで、緑色をしている。僕は肖像画と、皮をはがされた猫の絵を描き終えた。もし君が可能なら、ここに来てくれないか？ 3月に入って、ハルフリンのP夫人はどうしているかな。ジョン・ジェイムソンと、奇妙なイギリス人の親友だった男が数日、ここにいたよ。彼は、チブリがイタリアで誰かに雇われたことを、かんかんになって怒っていた。ここには、電話呼び出しもある。もし君が毎日、君の鼻の下を剃っているのだったら、君はそこにピッタリの髭を生やしたらいい。そう思わないか？ 病院は仕事の合間に、こうしたささいなことを理解すべきなんだ（後略）

*1 訳者注：スペンダーの愛称
*2 訳者注：俗にいうアルコールの禁断症状

out-houses - lots of room for hens - a hen-house. almost too much room in fact - I wondered if we could ever do with one servant. However I just see why we need use many of the rooms at first. Unfortunately nearly all the rooms were papered with rather horrid but quite new papers. So Mr J. wouldn't do them again naturally. The paint too was quite good, but harmless colours. mostly white or green - I said I should probably white or colour wash many of the walls & he said he didn't mind what I did - but of course he'll only pay for what

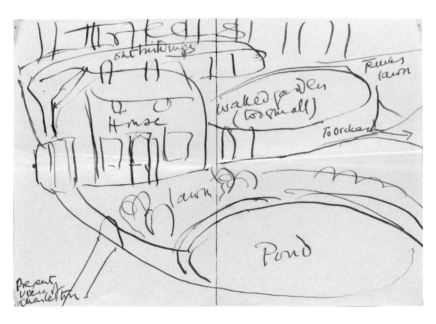

第1次世界大戦中、ブルームズベリー・グループとして知られたベル、ダンカン・グラント、ロジャー・フライ、リットン・ストレイチー、ジョン・メイナード・ケインズ、及びその他の知識人やアーティスト仲間のメンバーたちは、ロンドンとその郊外のさまざまな避難場所の間を行き来した。1916年、ベルは、自分とグラントが家庭を持てる場所を探していた。その時、ベルとグラントは、グラントの恋人エドワード・ガーネットを伴ったサフォークでの仕事から帰ってきたばかりで、2人は長くなった親密な関係の頂点にいた。ベルの熱烈な手紙の中で最初に書かれ、イラストも描かれているサセックスのチャールストンの農家が、ブルームズベリー・グループの中心の1つになった。ベルが自身の生理の「気が滅入る」到来について書いているところをみると、彼女とグラントは子供を持つことを既に望んでいたようだ。彼らの娘、アンジェリカは、1918年にチャールストンで生まれている。

*1 著者注
*2 訳者注：妊娠のことと思われる

Artist's Letter

ヴァネッサ・ベル（1879-1961）からダンカン・グラントへ
1916年9月頃

　　　　　46ゴードン・スクエア、水曜日
愛するベアへ
　私はいつも、混乱の只中にいる時にあなたに手紙を差し上げるようです。私はチャールストンから戻ってきたところです。そこに決めました。あとは借家契約のサインだけです。帰ると、あなたの手紙が待っていました。ありがとう。お便りを嬉しく思っています。ただ、あなたの喉の痛みを心配しています。私は良くなりました。あなたが悪くなったら、私に知らせてくださいませんか？ すぐに戻り、ミルク酒を作って差し上げます。どうかあなた、そうしてください。いずれにしても、金曜日に参ります。

　最後に手紙を差し上げて以来の、身の回りのことを報告しなければ。私はロジャー（フライ）*1と食事をし、かなり憂鬱な時間を過ごしました。が、あまり立ち入らないことにします。多分、私が間違っていたのです。1日がかりの片付け仕事があり、それに前日まで旅行でしたので、かなり疲れていました。そして今朝、生理が始まりました（それはがっかりするものではありませんでしたが、今回、私はそれ*2以外の何も期待していませんでした）。

　ところで今朝、私は9時の電車で出かけました。グリンデとうまく接続する唯一の列車です。私が着いた時、ステイシー氏はいませんでしたが、間もなく彼は2人乗りの小さな車でやってきて、早速私をチャールストンに連れて行ってくれました。私は、部屋の説明が本当に下手なのを自分でよく分かっています。今回私が最も驚いたのは、自分がこれまで見たことのないものに出会ったことです。大きな湖、果樹園、家と納屋の後ろをぐるりと囲む木々（中略）どの部屋も（今日の印象では）とても大きくて明るく、部屋数もたくさん。巨大な食器棚、数え切れないほどの食料貯蔵庫、搾乳所、セラー、色々な離れ家、たくさんの鶏舎、実際のところ多過ぎるほどの部屋数。使用人1人でやれるかしら（中略）

　残念なことに、ほとんど全ての部屋に、かなりけばけばしい新品の壁紙が貼られていました。S氏はそれらを元に戻すことはないでしょう。壁紙の上に塗られたペンキの色は非常に良いもので、色合いは気にかからない…ほとんどは白か緑。私は家の他の壁も、白か、何か他の色で統一するべきだと言いました（中略）家はとても美しいものにすることができると思います（中略）リットンが今夜、ここで食事をします。それからメイナードと恐らくシェパードも（中略）
あなたの愛するローデント

Liomardo io ebbi e marzolini cioe dodici caci sono molto beglj e ne
faro parte aglianici e parte p casa e come altre volte uo scri
Cto no mi madate piu cosa nessuna se io no uene chieggo e ma
ssimo di quelle che ui costano danariss Circa il suor doma como
e necessario io no no che dirti se no che tu no guardi adeta
p che ece piu roba che nomini solo ai auer lochio a la nobi
lita a la samita e piu alla bota che a altro Circa la belleza
no sedo tu pero el piu bel giouane di fireze no te nai da
curar troppo pur che no sia storpiata ne schifa altro no
ma chiade Circa questo ss ebbi ieri una lettera da messer
gioua fra bosco che mi domada se io o cosa nessuna della
marchesa di pescara uorrei che tu gli dicessi che io cerche
ro e rispodero gli sabato che uiene beche io no credo auer
niete p che quando stetti amalato fuor di casa mi fu tolto
di molte cose ss Arei caro quado tu sapessi qualche stre
ma miseria di qualche cittadino nobile e massimo di quegli
che anno fa ciulle i casa che tu ma uisassi p che gli farrei qual
che bene p l anima mia

A di ueti di dicebre 1550

Michelagnolo buonarroti
Thomao

リオナルド・ディ・ブオナロートは、ミケランジェロの甥で、子供がいないこのアーティストの遺産相続人だった。このことが2人の間に深い溝を作ることになる。1545年〜1546年にかけての冬、ミケランジェロが亡くなりそうだ、または亡くなったという誤報がフィレンツェに伝えられると、リオナルドは自分の相続権を確保するためにローマに駆けつけた。しかし、彼の叔父に会うことはできなかった。彼が宣誓した愛は「食器棚の愛（利益目当ての愛）」以外の何物でもなかったので、ミケランジェロは激怒した。

このもめごとは、1550年までには落ち着いていた（リオナルドはその時、31歳になっていた）。この年のミケランジェロからリオナルドへの手紙は、財産と結婚についての叔父らしいアドバイスに忙しい。彼は8月には、次のように書いている。「みんな、私が君に花嫁を紹介すべきだと言っている」。「まるで私のポケットの中に何千人もの花嫁候補が入っているかのように」。持参金契約（花婿が若死にした場合は、花嫁の持参金を保証することが、花婿の家族に期待されていた）と、「お金に困窮している上流階級の娘たちの持参金を提供することで、善行を積もうとするミケランジェロの願い」という形で、この手紙には再度、お金が登場する。「ペスカーラのマルケッサ」とは、ミケランジェロの最愛の友人ヴィットリア・コロンナのことで、彼女は1547年に他界した。ミケランジェロが自分の病気の間に盗まれたと信じ込んでいたものの中に、彼女が書いた詩の草稿もあった。

ミケランジェロ・ブオナローティ（1475-1564）からリオナルド・ディ・ブオナロート・シモーニへ

1550年12月20日

Artist's Letter

リオナルド

私はマゾリーニを手にいれた。そう、12個のチーズだ。本当に素晴らしい。そのうちの幾つかを友人にやり、残りを家族用にとっておく。でも別の機会に書いて話したように、こちらから頼まない限り、私に何も送らないように。特にお前に出費させるものは何も。

お前が嫁を取ることについてだが—そう、大事なことだ—お前が持参金に関してうるさく言わないのであれば、私からお前に何も言うことはない。財産は人間ほど価値があるものではないのだから。お前が注意すべきことは出産、健康、そして何よりも気立ての良さ。お前自身がフィレンツェ一のハンサムな若者ではないのだから、美人かどうかは気にしすぎないことだ。彼女が不器量だとか、嫌いだとかでない限り。この問題については、これで終わりにしよう。

昨日、メッサー・ジョバン・フランチェスコから、ペスカーラのマルケッサのものを何か持っているか? という手紙を受け取った。探して、今週の土曜日に返事をすると、彼に伝えてくれるか? もっとも、私が何か持っているとは思わないが。というのも、私は長いこと病気だった時に、ものがたくさん盗まれたからね。

貴族出身の家族のことを耳にしたら、私に知らせてくれるか? 特に、家族の中に娘がいる人だ。私自身の幸せのために、親切を施したいと思っている。

1550年12月20日、
ミケランジェロ・ブオナローティ、ローマにて

I was in the middle of drawing when your card came! Delights — surprises, news! — I had not seen it before, but anyway it would have delighted me to have had on it the Asher touch. So —

this is to let you know we are happy, miserable — inspired, dull — lots of work — bad and good. It would be so [flower] to be together —

But everything just ? smacks from us too —

Philip

MUSA

　フィリップ・ガストンが詩人でアーティストのイリース・アッシャー宛
のこの短信を書いた時、彼は1966年のNYのジューイッシュ・ミュージ
アムでの展覧会のために、絵画制作に取り組んでいた。今日ガストン
と言えば、敢えて下手くそな漫画風の表現による晩年の具象作品が
思い起こされるが、1960年代半ばの彼は、抽象表現主義の有名な画
家だった。1962年のソロモン・R・グッゲンハイム美術館における回顧
展の後、彼は自分の作品の色数を減らし始め、最終的には白と黒の絵
の具だけを使用した。彼は、「白の絵の具は、私が望まない黒を消すの
に使われ、灰色になる。今やっているような、色数を絞った方法で仕事
を進めるうちに、大気、光、イリュージョンなど、予測し難いものが現れ
てくる」と説明している。

　ガストンの大作《展望》（1964年、オーストラリア国立美術館、キャン
ベラ）では、垂直と水平の織り交ざるような筆触が、さまざまな灰色の網
目を作り出している。開放的で堅固な形の相互のバランスや、交差する
線のマトリックスはその本質において、この短信の冒頭部分に描かれた
ドローイングとそうかけ離れてはいない。ちょうどアッシャーが彼に送っ
てきた葉書には彼女自身が描いたドローイングがあったので、ガストン
は同じやり方で彼女に感謝しているのかもしれない。詩人のスタンリー・
クニッツと結婚した彼女は、スタンリーの詩の数行を自らのモノクローム
に近い抽象絵画に合体させた。そこではガストンの作品のように、筆触
の跡がはっきりと描かれてる。ジューイッシュ・ミュージアムでの展覧会
の後、ガストンは絵画制作をやめ、2年を費やして数百点ものドローイン
グを制作した。抽象も具象もあった。彼はこれを「1968〜1970年の、客
観的な作品に入る前の、非常に重要な間奏曲」とみなした。

　ガストンは彼の妻でアーティストでもあるムーサ・マッキムの名前を
手紙のサインに含めている。彼ら
は1930年代にオーティス美術
館で出会い、第2次世界大戦中
に公共壁画プロジェクトで共同
制作した。1960年代には、彼ら
はニュージャージー州ウッズ
トックに居を構えている。ガスト
ンはそこから、アッシャーに宛て
て手紙を出した。彼女はケープ
コッド北端のプロビンスタウンの
ビーチサイドにあるサマー・ハウ
スに、クニッツと滞在していた。

*著者注

フィリップ・ガストン（1913-1980）から
イーリス・アッシャーへ
1964年8月17日

Artist's Letter

　君の葉書が来た時、僕はドローイングの最中だっ
た！ 喜び、驚き…それはニュースだった！ 僕はこれま
で見たことはなかったが、ともかくそこに「アッシャー・
タッチ」が描かれていたことが、僕を喜ばせてくれた。
そしてこちらからも君にお知らせを。僕たちは幸福だっ
たり惨めだったり、刺激を受けたりつまらなかったり、
良くも悪くも、たくさんの仕事がある。それが合わさると
（花のドローイング）*になるんだろう。

　ドローイング全体としてはまさに（幸せそうな顔）*
じゃない？
xxx：私たちからもキスを。
フィリップとムーサ

March 5th 95.

2, BOLTON GARDENS,
LONDON, S.W.

My dear Noel,

I am so sorry to hear through your Aunt Rosie that you are ill, you must be like this little mouse, and this is the doctor

Mr Mole, and nurse mouse with a tea-cup.

家族、友達へ

ビアトリクス・ポター（1866–1943）から
ノエル・ムーアへ
1895年3月8日

7歳のノエル・ムーアは病気でベッドにいる時、ビアトリクス・ポターからこの手紙を受け取った。ポターは何が彼を元気付けるのか、よく分かっていた―彼女自身、子供の頃は貧しく寂しがりで、お絵かきや自然界に慰めを見出していたからだ。ノエルの母アニーが、彼女のかつての家庭教師だった。彼女がノエルのために紡ぎ出すファンタジーは、医者のモグラ氏とネズミの看護師から始まり、1893年にノエルへの手紙で命をもらった動物のキャラクターたちは数がどんどん増えていった。主役はピーター・ラビットだ。

当時、ポターは熱心なアマチュアの菌学者で、観察することによって美しいキノコの水彩画を制作していた（1897年に、彼女はロンドンのリンネ協会に論文『アガリシの胞子の発芽について』を発表した）。しかし、彼女を初めて子供向けの絵本『ピーター・ラビットの物語』に誘ったのは、ノエルへの手紙の中に描いた、絵と物語だった。1902年にフレデリック・ウォーン＆カンパニーと出版契約したことが20冊以上のタイトル制作につながった。その中にはトム・キッテン、ジェミマ・パドルダック、ハリネズミのティギー・ウィンクル夫人、そしてカエルのジェレミー・フィッシャーなどがいて、それらのキャラクターは世界中の子供の古典となり、ポターにひと財産を築かせた。この手紙の中の陽気なネズミの夫人は、1917年、このシリーズの最後の1冊であるアプリー・ダプリーの童謡に再登場する。

Artist's Letter

2、ボルトン・ガーデンズ、
ロンドン、S.W.

私の愛するノエル

あなたのおばさんロージーから、あなたが病気でいることを聞いて、とても悲しく思っています。あなたはこの小さなマウスのようにしているに違いありません。左が医者のもぐら氏、そしてティー・カップを持っているのがマウス看護師です。私は小さなマウスが、じきに暖炉の側の椅子に座ることができるようになることを願っています。

水曜日に動物園に行き、新入りのキリンを見ました。それはとても若く、とても可愛らしく、大きくなればかなり背が高くなるだろう、と飼育員は言っています。私はキリンがやって来た時に入っていた箱を見ました。飼育員は、箱が十分な大きさではなかったので、キリンはかなり肩が凝っただろう、と言っていました。彼らはサウサンプトンから電車でその箱を運んできました。もっと大きな箱を用意することができなかったのは、トンネルを通るためだったそうです。また、ジェニーという名前の新入りの猿を見ました。それは黒い髪を持ち、非常に醜いおばあさんのような顔をしていました。1人の男が着けていた手袋の片方を猿に渡したところ、猿はそれを着け、鍵の束を取ってその檻の鍵を開けようとしました。

私は菓子パンを袋から取り出してゾウにやりましたが、ダチョウには、人が食べ物をやることは許可されていませんでした。いたずらっ子がダチョウに古い手袋を与え、病気になってしまったからだそうです。黒クマが仰向けに転がっているのも見ました。年をとったオオカミがこんなに大人しいとは知りませんでした。

敬具　ビアトリクス・ポター

353 East 56 St. N.Y.C.

Dear Seligman,

Thank you for the address,
but I am sorry I did not explain
you the situation with the Teeth.
The absces is on a tooth which
keeps already an appareil and
is not very strong. This makes
that the operatition in any case
has to be done one time or th'
other. So it is superfluous
to inquire and I caused you
trouble for nothing.
But perhaps your dentists
address can be usefull to
me later.
Very much thanks again
and hoping to see you
again, with greeting to
your both, your
Mondrian

I cannot have written you directly but I didn't
know your adress.

ピエト・モンドリアン（1872-1944）から
クルト・セリグマンへ
1940年代初頭

　1938年9月、ピエト・モンドリアンは、26年間を過ごしたパリのスタジオを去り、ロンドンに移った。しかしモンドリアンはヨーロッパでの戦争の勃発を予想して、いつでもアメリカに旅行するつもりでいた。1940年夏、ドイツ軍が彼の母国オランダとフランスへ侵攻した（第2次世界大戦）というニュースと、続く9月のロンドン大空襲により、モンドリアンは絵を描くことができずにいた。10月までに、彼はNYに移った。

　モンドリアンはハンス・ホフマンの元教え子で、アメリカの抽象画家であるハリー・ホルツマンに迎えられた。ホルツマンはパリのモンドリアンを訪ねたことがあり、この時は6番街56丁目の角にスタジオを構えていた。アメリカのジャズ、NYの街の風景、そしてカラー粘着テープのような新しい素材の発見が、モンドリアンの作品にとって新たな展開の引金となった。1944年2月に死去する前に完成した、恐らく最後の絵画《ブロードウェイ・ブギ・ウギ》（1942～1943年、NY近代美術館）において、彼はこれまでの黒い格子を、明るい赤と青の正方形で分節された黄色の線に置き換えた。

　1930年代、デパール通り*にあったモンドリアンのスタジオは、アメリカのアーティストやキュレーターたちにとって創造的な巡礼の聖地だった。一方、NYで彼はアメリカ抽象表現主義グループのメンバーたちから現代の巨匠として尊敬され、またヨーロッパから来た多くの難民アーティストたちとも出会った。1942年3月、彼はピエール・マティス・ギャラリーの亡命アーティスト展に、マルク・シャガール、マックス・エルンスト、フェルナン・レジェ、そしてクルト・セリグマン（p.89）らを含む他のアーティストたちと共に出品した。繋がりの深かったセリグマンは、モンドリアンが歯の膿瘍（のうよう）を治療してもらえるように、自分の歯科医に彼を紹介することを申し出たようだ。モンドリアンは丁重に辞退し、どうしようもなくなった歯の手術は避けられないと説明している。彼の歯は既に、ある種の装置（フランス語でappareil）で固定されていた。

* 訳者注：パリ、モンパルナスにある通り

Artist's Letter

NY市56丁目東353番地
親愛なるセリグマン

　住所をありがとう。しかし私は、歯についての事情を説明しなかったことを後悔している。歯に膿瘍があって、既に装置が取り付けてある。だがあまり頑丈なものではない。だからいずれにせよ、手術をしなければならない。従って、診てもらうには及ばない。あなたに無駄なことをさせてしまった。

　だが恐らく、あなたの歯科医の住所がいずれ役立つことがあると思う。改めてありがとう、また会えることを楽しみにしている。あなた方お2人に祝福を。
あなたのモンドリアン

　私はすぐにあなたに手紙を書いたのだが、住所が分からなかった。

Wien 19. Mai 1894

Euer Hochwohlgeboren!

Die Gesellschaft für vervielfältigende Kunst giebt im Laufe des Jahres über die Wiener Theater und in welcher Linie über das alte Burg Theater heraus und wie ich erfahre, dürfen Euer Hoch wohlgeboren durch Herrn Excellenz Freiherrn von Wieser schon um deßbezügliche Verständigung erhalten haben.

Es war mir der Auftrag zu Theil geworden, einen der Schauplätze des alten Burg Theaters zu malen und zwar in einer Rolle, welche der betreffende Künstler in seinem Gut Schein möglichst würdig darstellt.

Ich habe mir erlaubt, das Portrait Euer Hoch wohlgeboren zu wählen und bitte, mir gefälligst Mittheilung zu kommen lassen zu wollen, wo und wann ich Euer Hoch wohlgeboren in dieser

Angelegenheit zu besuchen die Ehre haben könnte.

Einer baldigen Entwort auch gegenwärtig zeichne ich

Hochschätzungsvoll

Euer Hoch wohlgeboren
ergebener

Gustav Klimt

VIII. Josefstädterstrasse
21.

GUSTAV KLIMT
MAY
1894

グスタフ・クリムト（1862―1918）から
ヨーゼフ・ルインスキーへ
1894年5月19日

ウィーンの美術工芸学校で学んだ後、グスタフ・クリムトは彼の弟エルンストと、もう1人、同期生のフランツ・フォン・マッチュと協力して、公共建築のために依頼された一連の絵画制作に携わった。1886年、彼らはウィーンの新ブルク劇場の大階段のために、10点1組のフレスコ画を制作し始める。古典とシェイクスピアのテーマに基づくクリムトの4点のフレスコ画は、彼に金功労十字賞、そして彼のキャリアの出発点となる皇帝賞をもたらした。クリムトとマッチュは更に、旧ブルク劇場が解体される前に、満席の観客席を水彩で描く注文を受けている。そこには、観劇する約200人の会員たちの正確な細密肖像画が描かれた。彼らはウィーンの上流社会から選ばれていた。

クリムトがベテラン俳優ヨーゼフ・ルインスキー宛の手紙で書いているプロジェクトとは、旧ブルク劇場の遺産を祝賀することを目的とした、別の注文である。ルインスキーはウィーン舞台の古参のスターで、偉大な個性的俳優の1人である。

1895年に完成したクリムトによるルインスキーの肖像画（オーストリア絵画館、ベルヴェデーレ宮殿、ウィーン）は、ゲーテの悲劇『クラヴィーゴ』におけるドン・カルロスとして描かれている。ルインスキーは、1858年の旧ブルク劇場でのデビューの年にその役を初めて演じ、1894年においてもそれを演じ続けていて、今なお大きな称賛を浴びていた。クリムトはルインスキーにロマン派風のポーズをとらせ、ルインスキーはそれに合わせて情熱的で決意に満ちた表情になっている。数年経つとクリムトは、彼に成功をもたらした、たくましくアカデミックな絵画スタイルを捨て去る。彼の象徴的で、パターン化された聖職文字風のエロティックな作風は、名門出身のウィーン人たちを当惑させ、憤慨させたが、それによって彼は有名になった。

Artist's Letter

名誉ある貴殿へ!

複製（版画）*美術協会は、ウィーンの劇場、そして主に旧ブルク劇場に関する大作を出版しています。高貴なる貴殿は既に、フォン・ヴィーザー男爵閣下を通して、この件についての連絡を受け取っておられるものと思います。私は旧ブルク劇場の1人のアーティスト、特に演技中の人を、可能な限り本人そっくりに描くようにという注文を与えられています。

私は失礼を顧みず、高貴なる貴殿の肖像画を選ばせて頂きたく思っております。尊い貴殿とお話をする特権を、いつ、どこでなら与えて頂けるか、私にお知らせくださるようお願い申し上げます。

お早めの御返信をお待ちしております。誠意をもって署名致します。高貴なる貴殿へ
グスタフ・クリムト

*著者注

I January I970

Dear Rosamund:

I thought to begin the new year properly by writing
to you, even though I can't find your last letters.
I just returned last night from IO days in St. Martens,
a much needed and, I thought, deserved vacation in the
sunshine. The island was beautiful and has about eight
beaches, each with a character that differs from the
others.

One no sooner sets foot on New York than one feels the
muscles and nerves tighten up and start to jerk. It is
almost as though one hasn't been away at all. Maybe it
is good that that is the way it is. I have to dye
costumes and shrink sweaters for Merce C. who opens his
season on the 5th and finish a couple of drawings and see
that everything is framed and hung for my show at Leo's
 on the IOth. I hope that it will all get done and I
think it will. It often does.

Thank you for offering to send more of the Baby's Tears
but don't do it just now. There are two cats here now
who insist upon sitting in the flower pots in spite of
my efforts to keep them out. And I think there isn't
enough sunshine to help the plants recover from this
sort of treatment. A bit of the first batch is still
holding on.

The news about your job at the museum is great. I hope
you are enjoying it and that you like being an expert.

I wish us all a happy new year.

Love,

ジャスパー・ジョーンズ（1930ー）から
ロザムンド・フェルゼンへ
1970年1月1日

ジャスパー・ジョーンズはカリブ海の島、セント・マーチン諸島での冬の日光浴からNYに戻り、若きキュレーターで、将来ギャラリストとなるロザムンド・フェルゼンに手紙を書く。ジョーンズは1月10日にオープン予定の、レオ・カステリ・ギャラリーでのドローイング展の準備をしている。ジョーンズが有名になるきっかけとなった、一連のアメリカ国旗を描いた最初の作品を制作してから15年が経っていた。それらの作品は、一連の［ダーツの］標的やアルファベット、そしてビール缶のような商業的オブジェクトから型取りされた彫刻と同じく、ファイン・アートとアメリカの大衆文化を融合させようとするアートの初期形式だった。その融合は広範なポップアート運動となっていった。

ジョーンズは、振付師マース・カニンガムがジョン・ケージの音楽で振り付けた、新しいダンス作品《セカンド・ハンド》のためにデザインした衣装について触れている。ジョーンズの考えは、10人のダンサーに同じ色を着用してもらうことだ。それ以外の装飾はないので、色の相互作用により、視覚効果はダンサーの動きそのものとして生み出される。《セカンド・ハンド》の初演は、［この手紙を書いている時点から］ちょうど1週間後にブルックリン音楽アカデミーで行われる。しかし、彼はこれからコスチュームを染色しなければならない。「万事うまくいくことを願っている」と彼はフェルゼンに語る。ジョーンズは、ロサンゼルスから彼のアパートに鉢植えの観葉植物ベビー・ティアーズを贈りたいという彼女の申し出を丁重に断っている。

Artist's Letter

親愛なるロザムンド

君からの最後の手紙が見当たらない。でも僕は君に手紙を書くことから新年を始めたいと思った。僕はセント・マーチン諸島で10日間過ごし、昨夜戻ってきた。太陽の下での休暇はどうしても必要で、行って良かったと思っている。島は美しく、8つくらいビーチがあって、それぞれが違う特徴を持っている。

人はNYに足を踏み入れると、筋肉や神経が緊張し、ピクピクし始めるのを感じる。まるで、全く動かなかったかのように。多分、あるがままでいるのは良いことなんだ。僕は5日にシーズンをスタートさせるマース・C*のために衣装を染色し、セーターを縮ませなければならない。それに、ドローイングを2、3点描き終えたら全て額に入れて、10日にレオのところでやる僕の個展のために、作品を展示しに行かなくては。万事、上手くいくことを願っている。大抵はそうなると思うよ。

ベビー・ティアーズをもっと送るという申し出、ありがとう。だが今は送らないでくれるかい？ ここには猫が2匹いて、追い払ってもフラワー・ポットの中に居座っている。それに、植物がこの種のダメージから回復するのを助けるほど、太陽の光が十分ではないと思っている。最初にもらった分が、まだ少し残っているよ。

君が美術館で働くというニュースは素晴らしい。君が楽しむことを願っている。それに、専門家になってよかったと思えるように。

新年おめでとう、愛を込めて。ジャスパー。

* 訳注者：マース・カニンガム。アメリカの
　コンテンポラリー・ダンサー、振付師。

I can draw much better now
this is a bird

it is a owl   it was the favrit
berd of Menervra
i can draw your der mama
cuming the sea

the Captin

i can draw lots of things now
but not quit as well as Phil
he takes lesons at a regular
school.   how is dear
lein will you give her my
kind regards, this is me
painting a pickture

it is a lanskip and
is spoken very well of

エドワード・バーン＝ジョーンズ
（1833-1898）から
ダフネ・ギャスケルへ
1897-1898年頃

　ラファエル前派の画家エドワード・バーン＝ジョーンズが、不幸な結婚をした社交界の女性主人（ホステス）で彼の親友ヘレン・メアリー（"メイ"）・ギャスケルの娘、ダフネ・ギャスケルにこの手紙を書いた時、彼は60代の有名なアーティストだった。1892年、バーン＝ジョーンズとメイが初めて出会った後、彼らは親密な文通をかなりの頻度で続けていて、1日に5回、手紙をやり取りしたこともあった。だが彼らの情熱は、明らかにプラトニックなものに留まっていた。彼はまたダフネにも定期的に手紙を書いた。その手紙では、彼は子供のような人格、綴り、ドローイング・スタイルを取り入れている。

　ダフネは、バーン＝ジョーンズと出会った時には5歳くらいで、彼が世を去った1898年には11歳だった。バーン＝ジョーンズから彼女への、日付のない何通かの手紙は、託児所の世界を思わせる。それは「みんなしゃこうかいにでかけちゃったから、つづりをまちがえても、だれもなおしてくれないよ。ばんごはんには"ローリー・ポーリー"をうたって、チーズ・ケーキをたべたよ」といったような世界観である。ドイツ人の家庭教師「お嬢さん」や、クリスマスから初夏にかけてのロンドンの季節の移ろい（バーン＝ジョーンズは、ギンガムチェックの雨傘やパラソルに言及している）、また変わりゆくファッションに関して書いているところをみると、この手紙は年長になった少女へ宛てられているように思われる。その証拠はいくつかある。ダフネが成長するにつれて、子供っぽい書き方をするというゲームが相応しくなくなりつつあること、またバーン＝ジョーンズ自身が飽きたことだ。以前は正しいスペルを意識的に間違ったものにしていたが、今は「誤って」正しいスペルをそのまま使ったり（「**quit**（やめる）」は正しくは「**quite**（かなり）」）、「ファッション」や「ギンガム」で間違い遊びをすることもなくなった。それでも彼は「愛情のこもった」、いつもの友情あふれる言葉間違いで署名している。

*1 訳者注：ローマ神話にでてくる知恵・発明・アート・武勇の女神。ギリシャ神話のアテナ
*2 訳者注：泥除け、防水のために「靴の上に履く靴」

Artist's Letter

水曜日　私のダフネへ

　私はあなたと遊ぶために訪ねましたが、あなたは帰って来ませんでした。帰って来たらすぐ手紙をください（中略）私はあなたが留守の間、絵を描いていました。今ではもっと上手に描くことができます。これは鳥です。これはフクロウです。それはミネルバ*1の好きな鳥です。私はあなたの愛するママが海を渡っているところを描くことができます。船長！　今、私は色々なものを描くことができます。でも、フィルのようには全然できません。彼は正規の学校でレッスンを受けました。[家庭教師の]お嬢さんはどうですか。彼女によろしく伝えてくださいませんか。これは私が絵を描いているところです。それは風景画で、紙の中でとても上手に表現されています。私はあなたのパパにこの絵を買ってもらいたかった。でも彼は、それを分かっていても何も言いません。私は元気です。アンジェラもとても元気です。季節がもう少しで終わり、ライラックの柄がファッションに取り入れられようとしています。しかしアルパカのマント、ガロッシュ*2、ギンガムの雨傘、コーデュロイは完全に廃れてしまいました。でも私はまだそれを身に着けています。使い古していませんから。あなたの親愛なる友人　エドワード・バーン＝ジョーンズ

Dear Sir

I begin with the latter end of your letter to
grieve more for Miss Poole's ill health than for my
failure in sending proofs tho I am very sorry that
I cannot send before Saturdays Coach. Engraving
is Eternal work. the two plates are almost finish'd
You will receive proofs of them for Lady Hesketh. whose
copy of Cowpers letters ought to be printed in
Letters of Gold & ornamented with Jewels of Heaven
Havilah Eden & all the countries where Jewels abound
I curse & bless Engraving alternately because it
takes so much time & is so untractable. tho
capable of such beauty & perfection

My Wife desires with me to express her
Love to you Praying for Miss Polly. perfect
recovery & we both remain
                    Your Affectionate
March 12   Will Blake
  1804

ウィリアム・ブレイク（1757-1827）から
ウィリアム・ヘイリーへ
1804年3月12日

1800年9月、詩人で伝記作家のウィリアム・ヘイリーはウィリアム・ブレイクをロンドンから離れるよう説得した。自分が新しく建てた「隠れ家」近くの、サセックスのフェルパムにあるコテージに移るように、と。現在では幻想的な詩人でアーティストとして知られるブレイクの職業は、版画家であった。ヘイリーはブレイクに、計画中の詩人ウィリアム・クーパーの伝記のための挿絵制作を依頼した。少し前に亡くなったクーパーは、ヘイリーが育てることを楽しみにしていた、何人かの才能ある友人の1人だった。ヘイリーは、堅実なやり方をする男であると同時に、頌歌、碑文体詩、そして成功はしなかったが、劇作家であった。個人主義者のブレイクは、ヘイリーの支配癖は受け入れ難いと思ったが、フェルパムに3年間滞在した。

ロンドンに戻った後に書いた1804年3月の手紙で、ブレイクは銅版画が未完成であることを認めている。「銅版画は終わりなき仕事」なので、期限を守ることができないのは自分のせいではない、と彼は示唆している。ブレイクの版画はその年、『クーパーの生涯』に挿入され、予定通りに出版された。大成功を収めたこの伝記は、最終的にヘイリーに11,000ポンド（現在の金額で約485,000ポンド）*1を儲けさせた。クーパーの親戚のハリエット・ヘスケス令嬢は、「従兄を詩人中の詩人として崇拝し、彼はすべて完璧と思っていた」ので、たいして喜ばなかった、とブレイクは書き留めている。ヘスケス令嬢は、ジョージ・ロムニー（ヘイリーの、想像力に富むもう1人の友人）が描いた肖像画を基にブレイクが版画化したクーパーの顔は、目が顔から突き出ていて、付添人たちから逃げている不幸な男のようだと、密かに不満をもらした。

Artist's Letter

拝啓

　貴殿の手紙の最後に書いてあったことから、この手紙を始めさせて頂きます。試し摺りをお送りする際の不手際以上に、プール令嬢が健康を害しておられることに胸を痛めております。とは言え、私は土曜日の郵便馬車より前にお届けできないことを非常に残念に思っております。銅版画は終わりなき仕事であります。2枚のプレートは、ほぼでき上がっております。貴殿はそれらの試し摺りを、ヘスケス令嬢のために受け取られることでしょう。令嬢がお持ちのクーパーの手紙の複写は、金文字で印刷されるべきであり、天国、ハビラ*2、エデン、そして宝石に富むあらゆる国々のジュエリーで装飾されるべきです。私は、銅版画を時に呪い、時に祝福いたします。銅版画は大変な時間を必要とし、扱いにくい反面、素晴らしい美しさと完璧さを兼ね備えているからです。

　私の妻が貴殿によろしくと言っております。プール令嬢のまったきご快癒をお祈りいたします。

敬具

　　　　親愛なるウィル・ブレイク3月12日1804年

*1 訳者注：約6,500万円
*2 訳者注：旧約聖書に出てくる地名

June 6 / 36
CALDER
PAINTER HILL ROAD
R. F. D. ROXBURY,
CONN., U. S. A.

TEL. & TEL. WOODBURY 122-2

Dear Agnes
From your list of colours
you must be a
parcheesi hound.
But its purple, not blue.

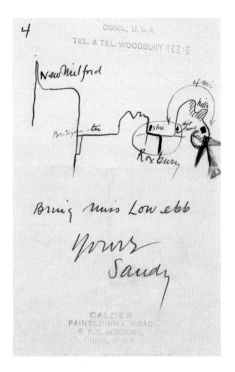

I too, am very fond
of the parcheesi

3/ colour scheme
i.e. the size (area)
intensity of each
colour (I guess you get it)

Please do send
the things back to
New York &

You can have the
one from Hartford
for 100—

But if you make
me work in pastel
shades its 125—

(I hope this wont
create a dilemma)
And your credit
can be quite long
drawn out and gentle

3/ I'm too much of
a truck driver already
to come over
— you must excuse
me:— But there
seems to be so much
time spent concentrating
on keeping out of
the gutter that at
times I hate the car.

If you go to
Middletown via Hartford
you certainly circum-
navigate us with
a vengeance!
Next time
go thru New milford
and follow my map

4

New Milford

Bridgewater

Roxbury

4 mi

Roxbury

Bring miss Low ebb

Yours
Sandy

CONN., U. S. A.
TEL. & TEL. WOODBURY 122-2

CALDER
PAINTER HILL ROAD
R. F. D. ROXBURY,
CONN., U. S. A.

JUN
1936
ALEXANDER CALDER

アレクサンダー・カルダー
（1898-1976）から
アグネス・リンジ・クラフリンへ
1936年6月6日

　アレクサンダー・カルダーは、1926年に初めてヨーロッパを旅行して以降、フランスとアメリカを定期的に往復した。彼の《カルダー・サーカス》は曲げられたワイヤー、布の端切れ、ゴム、コルク、その他の素材で作られたミニチュア・サーカスの俳優たちを集めたもので、その上演は2つの大戦の間、パリの前衛アーティストたちの中で、彼に一定の知名度をもたらした。1930年10月にピエト・モンドリアンのスタジオを訪問したことが、カルダーを抽象絵画の実験へ、そして機械的な抽象彫刻の実験へと導いた。その機械的な彫刻に対して、マルセル・デュシャンは「モビール」という言葉を提案した。

　1933年7月、カルダーと彼の妻ルイザはパリを発ち、NYへ向かった。彼らはコネチカット州ロクスベリーにある、植民地時代の荒れ果てた農家を購入した。そこにカルダーはスタジオを設けた。ロクスベリーの農家には、絶えることなく訪問客が訪れ、その中には、ポキプシーにあるヴァサー大学出身の若い美術史教授、アグネス・リンジ・クラフリンがいた。2人の友情は、1936年夏に、彼女がモビールとスタビル（吊り下げるモビールに対して自立式の彫刻）を注文した際に始まったようだ。カルダーは彼女の好みの色を、着色された長方形と細分化された円で構成される、盤上で遊ぶパーチージー*1に関係付けている。1944年、クラフリンがパーティーへ「着けていくものが何もない」と漏らした時、カルダーは彼女のためにアクセサリー《耐火ベール》（カルダー財団、NY）を制作してやった。それは曲がったワイヤーから金属製の文字がぶら下がっている、現代的なティアラだった。

Artist's Letter

ヒル・ロードの画家・カルダー
R.F.D. ロックスベリー、
コネチカット州、U.S.A.、
電話：ウッドベリー122-2

親愛なるアグネス

　色のリストから、あなたはパーチージーに夢中になっているにちがいない。でも色は紫だ。青ではないよ。私もパーチージーの色の配色がとても好きだ。例えば、それぞれの色の大きさ（面積）や強さなんかが素晴らしい（あなたはお分かりだと思うけど！）。

　あなたのところにあるものをNYに送り返してください。ハートフォードでも同じものを100*2で手に入れることができますよ。もしパステル調の色合いのもので私に作って、ということなら、125*2で。（迷わせたら申し訳ありません）。また、支払いはかなり遅くなっても大丈夫。急がなくても。

　トラックの運転は考えるだけでコリゴリです。溝に落ちないよう注意することばかりに時間を取られるようで、時々車が嫌になります。ご容赦のほど…。

　ハートフォード経由でミドルタウンに来るなら確かに完全に遠回りですね！ 次はニュー・ミルフォード経由で来てみてください。私の地図通りにね。どうか間違えないように。

あなたのサンディ*3より

*1 訳者注：インドのすごろく遊び
*2 訳者注：100ドル、125ドルと思われる
*3 訳者注：アレクサンダーの愛称

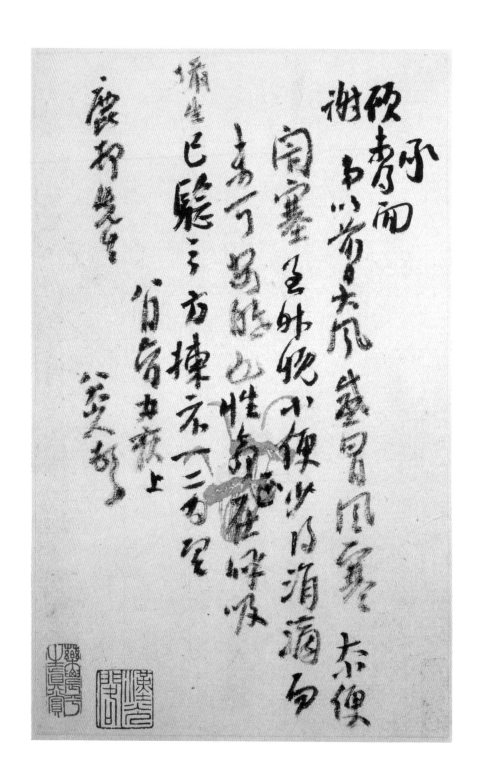

ZHU DA - BADA SHANREN
c.1688
-1705

朱耷（別名：八大山人）（1626-1705）から
方士琯へ
1688-1705年頃

　朱耷は中国明朝の王族、朱家に生まれた。長年の戦乱の末、満州族軍が北京を占領して明王朝を滅ぼした1644年、彼は18歳の時に、生地の南昌を逃れることを余儀なくされた。朱耷は僧侶、詩人、画家になった。1680年、前王朝との関係のために、いかなる公職にも就くことができなかったことに失望した彼は、伝えられたところでは、没落を忍んで自らの僧衣を焼き捨てたという。その後、「奇僧」朱耷は放浪のアーティストとなり、鳥、動物、風景を水墨で表現豊かに描く手法で名を馳せた。彼を取り巻く状況や境地が変化する度に、彼は異なる名前をいくつか使った。1681年から1684年にかけて、彼は自らの絵画と書に八大山人と署名した。「8つの偉大さを持つ山の如き人」という意味である。彼はこの名前を、親友の方士琯への手紙でも用いている。

　方士琯は、風景画が朱耷の主要な仕事となった彼の60〜70歳代に書かれた多数の手紙を保存している。この頃の朱耷は墨のかすれた渇筆法を使って、木々、岬、広々とした空、海上の船などの風景全体を描き出そうとしていた。あたかも、何物にも捕らわれず最小限の方法で創り出すことのできる、彼独特の画法があるかのように。朱耷のようなアーティストや書家の手紙はアートとして高く評価されてきた。そこに書かれた内容は特に取り立てたものではなかった（この手紙では、朱耷は便秘と尿閉をこぼしている）が、ありのままのアーティストの姿を伝える表現手段の一種とみなされてきた。

Artist's Letter

　私はあなたのご親切に対して、すぐに感謝を申し上げることができずにいました。私は先日の強風のために風邪を引き、排尿も排便もできなかったのです。昨夜までに私はどうにか数滴を排泄することができただけで、よく眠れませんでした。私はかろうじて生きている心地です。よく効く処方薬を頂けないでしょうか。鹿村先生。*

* 訳者注：方士琯の号と思われる

qui est plus sce que Reio. qui
pensait qu'il n'était pas nécess-
saire de quitter l'angleterre
qu'à Bornemouth ou l'Ile
de White ce serait très bien.
Ce n'est en somme qu'une
opinion, ces gas ont cru que
l'on voulait les empêcher
d'aller en Espagne. Cela m'est
égal l'Espagne si cela convient.
En somme le vrai mal est
enrayé et tu as dû voir par
la lettre de L. Simon qu'il
n'en paraissait pas inquiet.
Je n'ai pas assez d'argent
pour payer 80 à L. Simon
ce sera à mon retour.
Tu as dû recevoir 500 de
Durand.
Le Dr de Londres dit que
dans une quinzaine les gas
pourront partir, car tu sais
qu'il ne faut pas prendre froid
quand on est sous l'influence
de Mère. Sol ou Bella.

Voici la lettre Lucien.
je vous embrasse tous
ton mari aff.
C. Pissarro

Peux tu m'envoyer mon shall
ou couverture pour partir
il commence à faire froid.

カミーユ・ピサロ（1830-1903）から
ジュリー・ピサロへ

1896年10月25日

　カミーユ・ピサロは、カリブ海のセント・トーマス島に生まれたフランス系ユダヤ人画家である。ジュリー・ヴェレイはブルゴーニュ出身のぶどう農家の娘で、2人が出会ったのは彼女がピサロの両親によって料理人として雇われた1860年だった。それまでほとんど独学だったピサロは、クロード・モネ、ポール・セザンヌと共にパリのアカデミー・シュイスに学び、ちょうどサロンに出品し始めたばかりだった。その後の24年間に、ジュリーとカミーユは8人の子供を持つことになる。2人は普仏戦争が起こると、しばらくロンドンに避難し、その間の1871年に結婚した。1896年、ピサロはルーアンのダーグレテール・ホテルからジュリーに手紙を書き、彼らの息子ジョルジュの健康や、彼がイギリスで探している海辺の治療、そして彼の医者からの手紙について話し合っている。ピサロはまた、もう1人の成人した息子、ルシアンからの手紙を同封する。父に指導を受けたルシアンもアーティストになり、1890年にイギリスに移り住んで永住することになる。

　しばしば「印象派の父」と呼ばれるピサロは、1874年から1886年まで開催された8度の印象派展すべてに出品した唯一の画家だった。1880年代半ば、ポール・シニャック（p.57）とジョルジュ・スーラに出会って以降、彼は、色を混ぜ合わせずに、小さな斑点で描く点描法を採用した。しかし1896年までに彼は、印象派の、幅のある筆触による空気感を湛えるかつての着色法に戻った。《朝：曇りの日、ルーアン》は、ダーグレテール・ホテルの彼の部屋から描かれたボイエルデュー橋の眺めである。

　ピサロはジュリーに、悪性の風邪で仕事ができず、お金にも困っていると苦情を言っている。またピサロは、ジュリーが彼のアート・ディーラー、ポール・デュラン＝リュエルから支払いを受け取っていると、推測している。彼は同種療法[*1]について知識を持っているようだ。息子のジョルジュは明らかに、耳の感染症やのどの痛みによく使われるマーキュリアス・ソルビリスとベラドンナ（ナス属の有毒植物）を服用している。

*1 訳者注：自然治癒力に働きかける治療法。ホメオパシー
*2 訳者注：ピサロとジュリーの息子たち
*3 訳者注：長男Lucian Pissarroの英名と思われるが不詳
*4 訳者注：900フランと思われる
*5 著者注

Artist's Letter

　医者は、ボーンマスやワイト島は気候が良いので、イギリスを離れる必要はないと言っている。結局、それは1つの見解に過ぎない。スペイン行きを止めさせられるかもしれないと、この若者たち[*2]は考えたが、スペインがベストなのであれば、私はそれでもよい。要するに、相談してきたのは現実的な健康の問題だ。それにL・シモン[*3]からの手紙を読めば、彼は何も心配していないことがお前にも分かるに違いない。

　L・シモン[*3]に80フランを送ってやる十分なお金がないので、私が戻って来るまで待ってもらっている。お前はデュランから900[*4]を受け取ったはずだが。

　ロンドンから来た医者は、若者たち[*2]は2週間も経てば出発できると言っている。お前も知っているように、マーキュリアス・ソルビリスあるいはベラドンナを使っている者は風邪を引かないようだから。ここに、ルシアンからの手紙を同封する。
お前たち皆に愛を、親愛なる夫より。C・ピサロ
　ショール（?）[*5]か毛布を送ってもらえるか。外に出るともう寒い。

15 Janvier environ.
mon cher Suzanne

Merci énormément pour t'occuper de toutes mes affaires — Mais pourquoi n'aurais tu pas pris mon atelier pour habiter. J'y pense juste maintenant mais je pense que peut être ça ne t'irait pas.

En tout cas, le bail finit 15 Juillet et si tu reprenais, ne le fais qu'en proposant à mon propriét. de louer 3 mois par 3 mois, comme cela se passe ordinairement; il acceptera sûrement. Peut être père ne serait pas mécontent de regagner ce terme si c'est possible que tu quittes La Condamine pour 15 Avril. — But I don't know anything about your intentions and je ne veux que suggérer quelquechose. ———

Maintenant si tu as montée chez moi tu as vu dans l'atelier une roue de bicyclette et un porte bouteilles. — J'avais acheté cela comme une sculpture toute faite. Et j'ai une intention à propos de cedit porte bouteilles : Ecoute.

Ici, à N.Y. j'ai acheté des objets dans le même goût et je les traite comme des "readymade", tu sais assez d'anglais pour comprendre le sens de "tout fait" que je donne à ces objets — Je les signe et je leur donne une inscription en anglais. Je te donne qques exemples.

J'ai par exemple une grande pelle à neige sur laquelle j'ai inscrit en bas: In advance of the broken arm. traduction française: En avance du bras cassé — Ne t'efforce pas trop à comprendre dans le sens romantique ou impressionniste ou cubiste — cela n'a aucun rapport avec;

un autre "readymade" s'appelle: Emergency in favor of twice. traduction française possible: Danger (crise) en faveur de 2 fois.

Tout ce préambule pour te dire:
Prends pour toi ce porte bouteilles. J'en fais un "Readymade" à distance. Tu inscriras en bas et à l'intérieur du cercle du bas, en petites lettres peintes avec un pinceau à l'huile en couleur blanc d'argent la phrase inscription que je vais te donner ci après. et tu signeras de la même écriture comme suit:
[d'après] Marcel Duchamp.

デュシャン家の6人の子供たち（そのうち4人はアーティストになった）の中で、マルセルは妹のシュザンヌと一番仲が良く、彼女は自分の絵についてよく彼にアドバイスを求めていた。第1次世界大戦が勃発すると、デュシャンは兵役を拒否し、船でNYへ渡った。彼はそこで既に、ある程度の仕事上の成功を収めていた。シュザンヌはパリに残り、看護師として働いた。デュシャンがシュザンヌに書いた手紙は、彼の作品が見たこともないコンセプチュアルな方向へ転回しつつあることを、少なくとも理解してくれるであろう、1人のアーティスト仲間に対するかのようである。彼は自転車の車輪、ボトル・ラック、雪かきスコップのような日常的な物を彫刻と呼び始めた。彼はそれらを「トゥート・フェット」と語り、「レディ・メイド」と英語訳する。20世紀のアートの実践と批評理論に影響を及ぼし続けることになる用語が、この手紙で初めて使用された。デュシャンがかつて使っていたパリのスタジオを、シュザンヌが世話していることに彼は感謝を述べている。また、彼の指示に従ってシュザンヌがボトル・ラックにサインすれば、遠く離れていても彼と共同で「レディ・メイド」を作ることができる、と提案する。シュザンヌが既に、ボトル・ラックをゴミ箱に捨ててしまっていたことを、デュシャンは数年後に知ることになる。

* 著者注

Artist's Letter

私の親愛なるシュザンヌ

　私のがらくた全てを大事にしてくれてありがとう。しかしなぜ、お前は私のスタジオに住まなかったのだろう？　今ふと分かったが、恐らくお前には役に立たなかったのだろう。いずれにせよ借用契約は7月15日に期限が切れる。お前がまだそこにいたかったら、そして通常通りに3ヶ月毎の借用を申し込めるようなら、家主にそのように言いなさい。彼はきっと同意してくれるだろう。お前が4月15日までにラ・コンダミンヌ通りを離れることができるなら、父さんは多分その分の家賃の埋め合わせは気にしないだろう。私はお前がどうしたいのか何も分からないが、お前にちょっと言っておきたかった。

　お前が私の家に行ったなら、スタジオの中で自転車の車輪とボトル・ラックを見たはずだ。私はこれを、既に作られた彫刻として購入した。このボトル・ラックについて私はアイデアを持っている。聞いてくれ。

　ここNYで、同じ意図で品物をいくつか買った。私はそれらを「レディ・メイド」として扱う。私がこれらの品物に与える「レディ・メイド」の意味を理解するための英語を、お前は十分に知っている。私はそれらにサインして、英語の題名を与えるつもりだ。いくつか例を挙げよう。例えば、1番下に書いた大きな雪かきスコップ：《折れる腕に備えて》、フランス語訳は：En avance du brascassé。無理にロマン派、印象派、キュビスムの文脈で理解しないように。この作品とは何の関係もない。

　もう1つの「レディ・メイド」はこう命名されている：《緊急事態は2回に味方して》、フランス語訳するなら：Danger (Crise) en faveur de 2 fois。以上は、以下に語ろうとするもののための前置きだ。

　お前は自分でこのボトル・ラックを取りあげ、私は遠くからそれを「レディ・メイド」にする。お前は基底と1番下のリングの内側に、油彩筆を使って銀白色の小さな文字で題字を書かなければならない。その題字はこの後、私が与える。そしてお前は次のようにサインするように。マルセル・デュシャン（に倣って）*。

マルセル・デュシャン（1887-1968）からシュザンヌ・デュシャンへ
1916年1月中旬

Letter to D.
abont 9c 1944
C.P. late aft.

Dear
Joseph:

Sometimes

I think that the only true
and satisfactory means of contact with those
we love is by writing rather than talking.
So it seems to me that our letters are far
more the real barometer of our feelings
than when we speak for a few over-
charged moments in New York. Certainly
you will agree that the atmosphere there,
in most cases, is electric and artificial.

And yet, warring and
struggling as I am nearly all of my
waking moments, with the problems of au-
thenticity and value, it is not always
that I am fit to write a letter of any
kind. I want the letters I write to you
to have a real clarity which I feel I
am ill equipped to give them. My dreams,

Artist's Letter

ド
ロ
テ
ア
・
タ
ン
ニ
ン
グ
（
1
9
1
0
ー
2
0
1
2
）
か
ら
ジ
ョ
ゼ
フ
・
コ
ー
ネ
ル
へ
1
9
4
8
年
3
月
3
日

ドロテア・タンニングは、1944年、NYのジュリアン・レヴィ・ギャラリーで彼女の初個展を開催した頃に、ジョゼフ・コーネル（p.87、97）に出会った。コーネルは1932年の歴史的なシュルレアリスム展以来、同ギャラリーで、コラージュ、続いて彼独自の木箱のアッサンブラージュを発表していた。「少しやつれ真珠のように青白く、そして驚いたことに、彼はいつも少し離れて座っていた」とタンニングは思い出を語る。コーネルはタンニング作品の夢のようなイメージを楽しみ、「洗練され、クモの巣が張ったような作品」と彼女に語った。タンニングが1946年にマックス・エルンストと結婚し、アリゾナに移り住んだ後も、彼女とコーネルは定期的に連絡を取り合った。彼女が手紙の中でレポートした、シルクを纏った王子、鷹、「そこでは何もかもが起こりうる」部屋の夢は、1942年の彼女の自画像、《誕生日》（フィラデルフィア美術館）を思わせる。

* 訳者注：首から腰の辺りまでを覆う男性の上着。14〜17世紀頃、ヨーロッパで使用された

親愛なるジョゼフ

　愛する人たちとの唯一、満足のいく手段は会話よりも手紙を書くことだと、時々思います。ですから、NYで疲れ過ぎた時に、時々会って話をする以上に、私たちの手紙はずっとずっと、私たちの感情の、本当のバロメーターであるように思われます。そちらの環境はほとんどの場合、電気的で人工的であることに、きっとあなたも同意してくださるでしょう。

　それでもなお、私は目覚めている時間のほとんどは、信憑性や価値の問題で動揺したりもがいたりしていて、いつでも手紙を書ける状態にあるとは限りません。あなたに書く手紙は明晰なものにしたいと思っているものの、私は今、それができるほど十分な準備ができていないように感じます。私の夢や、私を襲う幻想的なイメージ、そして私の目覚めている生の時間は入り混じっているので、いったい何がリアルなのか？ と考えます。人はたやすく憂鬱になったり急に高揚したりして、それを繰り返します。ならばその基準はどこにあるのでしょうか？ 馬鹿らしく聞こえるかもしれませんが、詩と急激な嫌気だけがある、というのが私の考えです。私は詩を受け入れ、嫌気を締め出したいのです。それは私が知っている全ての人々の中で、あなたがともかくやって来られたことでもあります（中略）

　昨夜私は、子供の頃に映画で見た小さな王子の夢を見ました。彼は12歳くらいで、ダブレット*と長いシルクのストッキングを身に着け、小さなサテンのスリッパを履いていました（中略）彼がペットの鷹を持っている夢を見たのです。鷹は何もかもが起こりそうな大きな暗い部屋を占領しようとしていました。そして小さな王子が彼を連れて現れた時、鷹は短くこう言いました「彼らはあなたを拒む」…そしてその後、どういうわけか私が王子になっていました。私は肩の上に鷹を乗せました。そして彼は私の耳に囁きましたが、それは難解でほとんど理解できませんでした。私は怖いのです、彼が言ったことを覚えていないから…。夢はほとんどいつもこのように、まさに魔法の瞬間に終わります。

　私が心から愛しているのをご存知の人形の写真、本当にありがとう。雪の中の愛らしい鳥たちをありがとう。またすぐにお便りください、ジョゼフ。

　マックスからよろしくと言っています。愛を込めて、ドロテア。カプリコーン・ヒル、セドナ、アリゾナ州にて。

CHAPTER2
ARTIST TO ARTIST

アーティストからアーティストへ

Artists' Letters

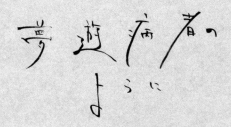

Like a sleepwalker

Mon cher Vincent

Nous avons accompli votre désir, d'une autre façon il est vrai mais qu'importe puisque le résultat est le même. Nos 2 portraits. N'ayant pas de blanc d'argent j'ai employé de la céruse et il pourrait bien se faire que la couleur descende et s'alourdisse - Du reste ce n'est pas fait en point de vue de la couleur exclusivement. Je me sens le besoin d'expliquer ce que j'ai voulu faire non pas que vous ne soyez apte à le deviner tout seul mais parceque je ne crois pas y être parvenu dans mon œuvre. Le masque de bandit mal vêtu et puissant comme Jean Valjean qui a sa noblesse et sa douceur intérieure. Le sang en rut inonde le visage et les tons de forge qui enveloppent les yeux en feu

indiquent la lave de feu qui embrase notre âme de peintre. Le dessin des yeux et du nez semblables aux fleurs dans les tapis persans résume un art abstrait et symbolique - ce petit fond de jeune fille avec ses fleurs enfantines est là pour attester notre virginité artistique - Et ce Jean Valjean que la société opprime mis hors la loi, avec son amour sa force, n'est-il pas l'image aussi d'un impressioniste aujourd'hui. Et en le faisant sous mes traits vous avez mon image personnelle ainsi que notre portrait à tous pauvres victimes de la société nous en vengeant en faisant le bien. Ah! mon cher Vincent vous auriez de quoi vous divertir

à voir tous ces peintres d'ici confits dans leur médiocrité comme les cornichons dans le vinaigre. Et ils ont beau être gros longs ou tordus à verrues c'est toujours et ce sera toujours des cornichons. Eugène, viens voir! Eugène c'est Habert, Habert c'est celui qui a tué Dupuis vous savez... Et sa jolie femme et sa vieille mère tout le bordel quoi! Et Eugène peint, écrit dans les journaux, voyage gratis en Première. Monsieur - Il y a de quoi rire ou à en pleurer En dehors de son art quelle sale existence et est-ce vraiment la peine que Jésus soit mort pour tous ces sales peintres - En tant qu'artiste oui

en tant que réformateur je ne crois pas. Le copain Bernard travaille et tire des plans pour venir aussi à Arles. Laval que vous ne connaissez pas mais que vous connaît par vos lettres et nos racontars se joint à nous pour vous serrer la main
à vous
Paul Gauguin

Soleil ardent qui passe
scabreux!
arrête ta course éclatante
je veux sans
peindre ta face chromée orangée
deux! -

ポール・ゴーギャン
（1848-1903）から
フィンセント・ファン・ゴッホへ
1888年10月1日

ゴッホと同様、ゴーギャンのアーティストとしての出発は遅かった。フランス海軍に勤務し、株仲買人の仕事に就いた後、1870年代半ばに作品を発表し始め、1879年、印象派のアーティストたちと一緒に作品を展示した。彼の作品はゴッホの弟でディーラーのテオの目を捉えた。テオは1888年6月、ゴーギャンに、月1枚の絵と引き換えに手当の提供を申し出た。もう1つの条件は、フランス南部のアルルに来てほしいというゴッホの願いを受け入れることだった。ゴーギャンなら、そこで次第に精神状態が不安定になっているゴッホを見守ることができるかもしれないとテオは考えた。ゴーギャンは、フランスの反対側に位置するポン＝タヴァンのアート村に参加していた。「僕はブルターニュを愛している」とゴーギャンは書いている。「自分の木靴がこの花崗岩（かこうがん）の大地に鳴り響くと、僕はくぐもった力強い共鳴音を聞く。僕は描きながらそれを探している」とも。彼と青年アーティスト、エミール・ベルナールはそれぞれ、肖像画（ヴァン・ゴッホ美術館、アムステルダム）をゴッホに送った。ゴーギャンはヴィクトル・ユーゴーの盗人ジャン・ヴァルジャンを主人公にした小説に因（ちな）んで、自分の肖像画に「レ・ミゼラブル」という副題をつけた。「我々アーティストは、ヴァルジャンに似ている」という言葉が「善を行っても仕打ちを受ける、社会の犠牲者」ゴッホにどのように訴えかけるか、ゴーギャンにはよく分かっていた。アルルの黄色の家にいたゴッホは、興奮と少しばかりの不安の中で、直ちに3週間後のゴーギャンの到着に備え始めた（p.53）。

Artist's Letter

親愛なるフィンセント

　私たちはあなたの要望に応えました。確かにやり方は違います。が、一体、何が問題なのでしょうか？ 結果は同じなのですから。私たちの2点の肖像画。私はシルヴァー・ホワイトがなかったので白鉛を使いました。そのため、色が黒ずみ重くなったのかもしれません。しかし、私は必ずしも色の観点から制作してはいないのです。私は自分がやろうとしたことを説明する必要があると感じます。あなたにも思い当たる節がないことではありません。しかし、それを実現できたとは確信が持てないのです。ジャン・ヴァルジャンのようにボロ服を着た力強い盗人の顔、彼は高貴さと内なる優しさを持っています。顔には燃えるような情熱が溢れ、目の周りの火花が飛び散るような鍛冶屋のトーンは、我々、画家の魂を燃え上がらせる真っ赤な溶岩を示唆しています。ペルシャ絨毯の花のような目と鼻は抽象的で象徴的なアートを要約しています。女の子のような花のある小さな背景は、我々アーティストの純潔さを示すものです。社会が抑圧し、のけものにしたあのジャン・ヴァルジャン…彼の愛や強さは、まさに現代の印象派のイメージそのものではないでしょうか？ 私の顔を使って彼を描くことで、あなたは私の個人的イメージの他に、善を行っても仕打ちを受ける、社会の犠牲者たる私たち全員の肖像画を手にします。—私の親愛なるフィンセント、あなたには、あなたを夢中にさせる多くのものがあります。ここにいる画家たちは酢漬けの若い胡瓜（きゅうり）のように平凡さに浸りきっています。太っていても、ひょろ長くても、ねじれて、いびつであっても違いはありません。彼らは今でも、そしてこれからも、ずっと愚かな若い胡瓜で居続けるでしょう（略）
敬具　ポール・ゴーギャン　（後略）

Eh bien cela m'a enormement amusé
de faire cet interieur sans rien.
D'une simplicité à la Seurat

À teintes plates mais grossierement brossées
en pleine pâte les murs lilas pale
le sol d'un rouge rompu a fané les
chaises a le lit jaune de chrome les oreillers
et le drap citron vert très pâle la couverture
rouge sang la table à toilette orangée
la cuvette bleue la fenetre verte
j'avais voulu exprimer un repos
absolu par tous ces tons très divers
vous voyez et ou il n'y a de blanc que
la petite note que donne le miroir à
cadre noir (pour fourrer encore la quatrieme
paire de complementaires dedans)
Enfin vous verrez cela avec les autres et nous
en causerons car je me fais souvent

Artist's Letter

私の愛するゴーギャン

　手紙をありがとう。20日頃に到着するという約束に感謝します。その約束は確かにあなたの汽車旅を楽しくさせるものではないでしょう。迷惑をかけずに発てるようになるまでこの旅行を延期する…というのも、まさにその通りです。しかし私はこの旅ができるあなたを羨ましく思っています。何マイルにもわたって色々な田舎を通過しながら、秋の壮麗な美しさを見せてくれるはずです。

　今年の冬の、パリからアルルへの旅が与えてくれた感情が、記憶の中にまだ残っています。「日本もこんな風なのだろうか」と、どれほど外の景色を見逃さないようにしたことか! まるで子供みたいに…。私は先日あなたに、自分の目が異様に疲れていると書きました。そこで私は2日半休んだ後、仕事に戻りました。しかしまだ敢えて外出はせず、もう一度自分の部屋に飾るため、あなたもご存知の白い木製家具のある寝室を、30号キャンバスに描きました。幸い私はいつになく楽しく、このがらんとした室内を描くことに集中しました。スーラ風のシンプルさで。平坦な色ながら、荒々しい筆使いで厚塗りに。壁は薄いライラック色、床は彩度を抑えた断片的な赤、椅子とベッドはクローム・イエロー、枕とシーツはレモン・グリーン、ベッド・カバーは真紅、化粧台はオレンジ、洗面台は青、窓は緑です。私はこれらの全く異なる色を全部使って、完全な安らぎを表現したいと思いました。黒い縁で囲まれた鏡の白だけが、小さなアクセントです(これは補色の第4番目の組み合わせを詰め込むためでもあります)。

　いずれにせよ、あなたは他の作品と一緒にそれを見るでしょうから、語り合いましょう。私は時々、自分が何をしているのか分からなくなり、まるで夢遊病者のように仕事をしています。寒くなり始めました…特に冷たい北西風が吹く日には。スタジオにガスを引いてもらったので、冬でも明るい光があります。もしあなたが北西風が吹いているような時に来たら、アルルに幻滅するかもしれません。でも待ちましょう…。詩は長い時間をかけてここに降り立ち、染み込んでいきます。

　あなたは今なお、私たちの家が居心地のいいものとは思わないでしょう。でも徐々に居心地よくなるように努力しましょう。出費がかさみますので一度には不可能です。ここに来れば私のように、秋の光景を描きたい衝動に駆られるはずです。北西風の吹く合間に。あなたは理解するでしょう。ここにはとても美しい日々があると、私が言ってきたことを。それではさようなら。

敬具　フィンセント

フィンセント・ファン・ゴッホ
(1853-1890)から
ポール・ゴーギャンへ
1888年10月17日

　パリで見た日本の木版画に魅了されたものの、日本に行くお金がなかったゴッホは、1888年2月にフランス南部に向けて出発し、日本風の風景をより身近に発見したいと望んだ。彼はアルルで「黄色い家」を借りて、ゴーギャン(p.51)を共同生活に誘った。ゴッホは色を組み合わせて、特別な感情を引き起こすことができると信じていた。例えば《アルルの寝室》(ゴッホ美術館、アムステルダム)においては、「完全な安らぎ」の感情を。しかしゴーギャンが到着した時、黄色い家での生活は平和とはほど遠いものだった。2人のアーティストの関係は楽観的に始まったものの、崩壊した。特にある激しい口論がゴッホの耳の切断につながった。

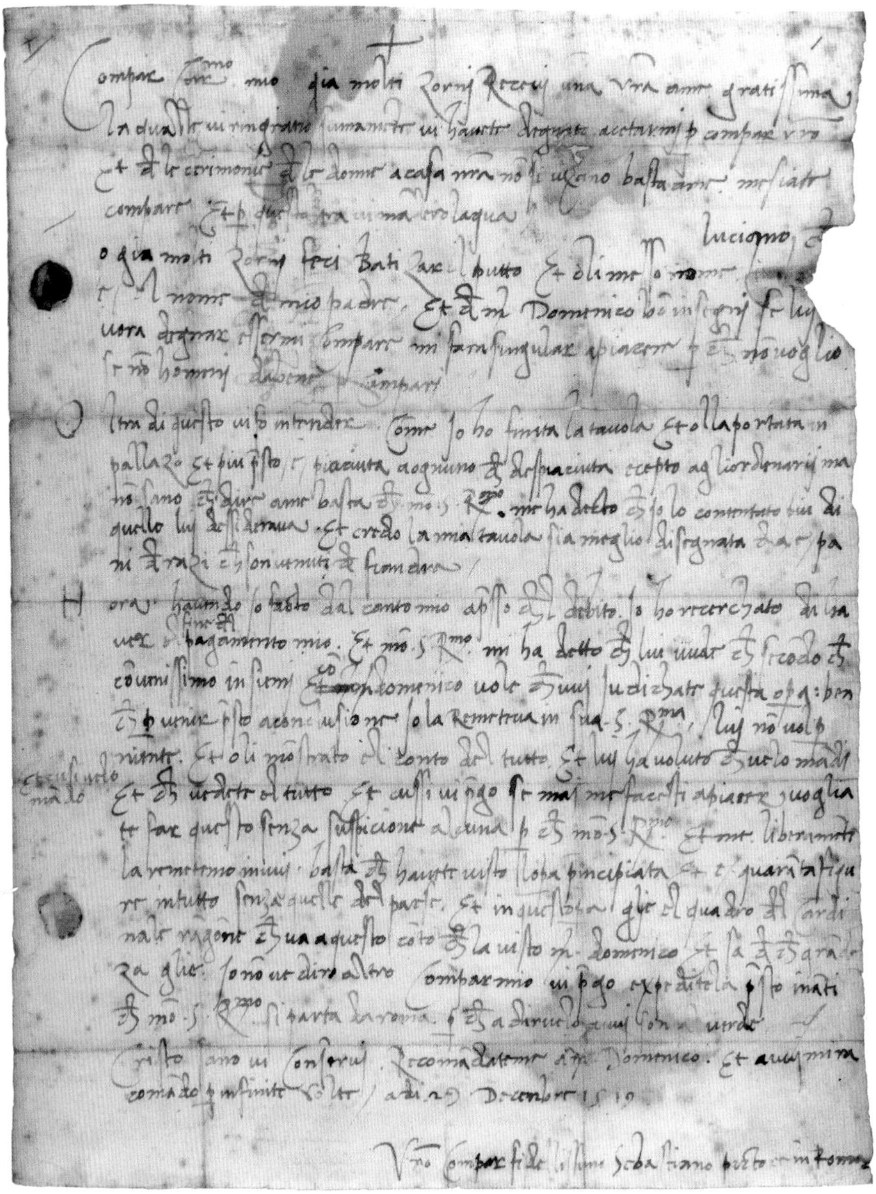

Compar charissimo mio già molti zornj recevj una v(ost)ra a me gratissima
la qualle vi ringratio summamente vi havete dignato acetarmj p(er) compare v(ost)ro
et de le cerimonie che le donne a casa n(ost)ra no si usano basta a me me siate
compare. Et p(er) questa [illegible]
o già molti zornj fecj batizar el putto et dettoli nome Luciano che
è el nome de mio padre. Et de m(aestro) Domenico Boninsegnj se luj
vora dignarse esserme compare me sarà singular apiacere, p(er)chè no voglio
se no hominj da bene p(er) compari.
Item di questo vi fo intendere come io ho finita la tauola et ollaportata in
pallazo, et più presto è piaciuta a ognuno che dispiaciuta, eccepto agli ordinarij ma
no sano che dire, a me basta che mo(n)s(ignor) R(everendissi)mo m'ha detto che io lo contentato più di
quello luj dessiderava. Et credo la mia tauola sia meglio disegnata che e pa-
nj de razi che son venutj de Fiandra.
Hora, havendo io fatto dal canto mio a presso che el debito, io ho recercato di sa-
ver el pagamento mio. Et mo(n)s(ignor) R(everendissi)mo m'ha detto che luj vuol che secondo che
commissimo insieme [illegible] Domenico vole che vuj judichate questa op(er)a; ben
che p(er) venir presto a conclusione io la remetteva in sua S(ignoria) R(everendissi)ma, luj no volse
niente. Et olj mostrato el conto del tutto. Et luj ha voluto che ve lo mandi
Et che vedete el tutto. Et cussì vi prego se mai me facesti apiacere vogliate
far questo senza suspicione alcuna p(er)chè mo(n)s(ignor) R(everendissi)mo et me liberamente
la remettemo in vuj, basta che havete visto l'opera principiata e quasi a figu-
re in tutto senza quelle del paese. Et in quest'opera gli è el quadro del Cardi-
nale Rangone che va a questo conto che l'ha visto m(aestro) Domenico et sa [illegible] gran-
deza glie. Io no ve dirò altro. Compar mio vi prego expeditela presto inantj
che mo(n)s(ignor) R(everendissi)mo si parta da Roma [illegible]
Cristo sano vi conservi. Recomandatemi a m(aestro) Domenico. Et a vuj me ri-
comando p(er) infinite volte. A dì 29 Decembre 1519

V(ost)ro compar fidelissimo Sebastiano pictore in Roma

16世紀初頭、イタリアの一流アーティストや建築家は大勢引き抜かれ、ローマが威信をかけるプロジェクトに従事した。そこには、ミケランジェロとベネチアの画家セバスティアーノ・ルチアーニ（教皇印の管理人に任命された後は「デル・ピオンボ」として知られた）がいた。2人の関係は盟友兼共同制作者になる。気難しさで有名なミケランジェロにとっては異例なほどの親密な関係だった。1516年、枢機卿ジュリオ・デ・メディチは、まずミケランジェロに人物の下図を依頼し、その後セバスティアーノに《ラザロの蘇生》（ナショナル・ギャラリー、ロンドン）の着色を発注した。これは効果的に、この2人のアーティストをラファエロの対抗馬として競わせるためのものだった。ラファエロの《キリストの変容》（バチカン美術館、ローマ）もジュリオが頼んでいた。

絵の着彩が完了した時、ミケランジェロはフィレンツェに戻っていた。セバスティアーノは、ミケランジェロが自分の仕事の多さに怖気づくかもしれないと知りつつ、彼が急いで報酬を得るために、どれだけミケランジェロのサインが必要なのかを切実に訴えている。

*1 訳者注：当時、子供の名付けについて母方の何らかの習慣があったが、セバスティアーノの家にはなかったと思われる
*2 著者注：枢機卿ジュリオ・デ・メディチ
*3 著者注：教皇レオ10世

セバスティアーノ・デル・ピオンボ
（1485-1547）から
ミケランジェロ・ブオナローティへ
1519年12月29日

Artist's Letter

私の最愛の盟友へ

待ちわびたあなたの手紙を受け取って以来、多くの日々が過ぎました。あなたが私の息子の名付け親になってくださり光栄です。そのような女性の儀式は我が家の習慣にはありません*1。私にとっては、あなたが私の仲間であることだけ十分です。次の手紙と一緒に（洗礼）水を送ります。私は数日前、息子に洗礼を授けてもらい、彼をルチアーノと名付けました。それは私の父の名前です（中略）

私は絵を完成させ、それを宮殿に届けました。教皇庁役人を除いて、誰もが好意的だったと感じました。敬愛するモンシニョール*2が、期待していた以上に満足していると述べてくれたことで十分です。私の絵は、フランダースから届いたあれらのタペストリー以上によく仕上がっていると思います（中略）

私は義務を果たしたので、報酬の仕分けを考えました。敬愛するモンシニョール*2は、メッサー・ドメニコが同意するなら、あなたに仕事を査定してもらいたいと言いました。問題を早急に解決すべく、敬愛するモンシニョール*3に（中略）全仕事の請求書をお見せしたところ、彼はそれを全てあなたに送り、目を通してもらうよう言いました。ここにあるのがそれです。

よろしければ何も言わずに引き受けて頂けませんか? モンシニョール*2と私は心からあなたを信頼しております。あなたは作品の最初の姿を知っています。そこには風景の中の人物を除いて総数40人の人物が描かれている…それで十分です。この仕事の請求書の一部として、ランゴーネ枢機卿のための絵が含まれています。メッサー・ドメニコはその絵を見ていますから、それがいかに大きい絵であるかを知っています。これ以上、言うのはやめておきます。私の盟友よ…お願い致します、敬愛するモンシニョール*2がローマを発つ前にすぐに手紙を送ってください。実は、私はお金に困っているのです。キリストがあなたの健康をお守りくださいますように。私のことをメッサー・ドメニコによろしく伝えてください。あなたに私を永遠に委ねます。
1519年12月29日
ローマ滞在の画家、あなたの最も忠実な盟友から
フィレンツェの彫刻家、我が主ミケランジェロ様へ

cher Monsieur Monet, mes très
respectueuses et si cordiales amitiés.

Paul Signac

Un bon souvenir aux Butler. Le
vous prie, s'ils sont auprès de vous.

Chemin du Richelieu
La Rochelle.   21 Juillet 1920

Cher Monsieur Monet.

Bonnard, que vous verrez certainement,
vous dira quel triste hiver j'ai passé
après ma rude maladie de Février
je n'ai pu retrouver mes forces. J'ai
traîné à Paris, puis à Juan, sans

pouvoir ni travailler, ni causer, ni marcher.
Je n'ai donc pu profiter de votre bonne invi-
tation. C'eut été pour moi une si grande
joie de passer une belle journée à Giverny
près de vous, et de voir vos grands travaux.
Veuillez m'excuser : j'ai grand chagrin de
ce déboire.

Les médecins m'ont envoyé au
Mont-Dore ! Mais à l'idée de la table
d'hôte de cette station thermale, j'ai
fui. Et j'ai préféré faire une cure
d'aquarelles dans ce port aux voiles
bigarrées, aux coques multicolores,
à la lumière argentée, et si pittoresque
à faire écumer un cubiste ou un
néo-Davidien. Et je me trouve bien
bien de ce traitement = les forces
reviennent et le travail reprend.

Je vous adresse,

アーティストからアーティストへ

ポール・シニャック（1863-1935）から
クロード・モネへ
1920年7月21日

初老のクロード・モネ（p.73）は、アーティストや文筆家、コレクター、政治家たちを、ジヴェルニーにある彼の庭園付きのスタジオ兼、邸宅での昼食へ定期的に招き、快くホスト役を務めた。ポール・シニャックはモネへのお詫びの手紙の中でそのことに触れている。1880年、17歳の時にパリでモネの絵画と初めて出会ったことが、シニャックに画家への道を決心させた。40年後、モネは記念碑的な《睡蓮》の連作に取り組んでいた。それはフランスの最も有名な現存アーティストが、自らの永遠のレガシーとして祖国フランスに残そうとする大装飾絵画だった。一方シニャックも、既に成功を遂げていた。ジョルジュ・スーラと共に切り拓いた分割主義、もしくは点描主義は、色を混ぜ合わせずに小さな点でつつくように塗り、見る者の目の中で混色効果を生み出すという絵画技法だった。カミーユ・ピサロ（p.43）やゴッホ（p.51、53）らがこの技法を賞賛し、作品に取り入れた。

シニャックは、自分の辛い病気のことを、ピエール・ボナールがモネに話すだろうと確信している。ボナールはシニャックとモネの共通の友人であった。シニャックはオーヴェルニュ（現在はスキー・リゾート地）にあるモン=ドールの温泉で治療を受けていたが、保養地の社会とは肌が合わなかった。しかしラ・ロシェルでの休暇は感動に満ちたものに変わる。古い港は実に素晴らしく、キュビストや「ネオ・ダビディアン」（第1次世界大戦後の古典主義復活の主張）でさえ描きたくなるだろう、と書いている。ヨットマンとして船の型や艤装に関心を持っていたシニャックは、手紙の頭に港の帆船を水彩でスケッチし、釣りに使われる長くて曲がった桁端を描いている。彼の「水彩療法」は、《ラ・ロシェルの漁船》（ミネアポリス美術館）に結実する。そこには［手紙と］同じタイプの、外洋に出た船の脇腹が描かれ、遠景にはロシェルにある、中世の塔の大きい方がくっきりと見えている。

Artist's Letter

親愛なるモネ様

あなたが間もなくお会いになるボナールが、私の悲惨な冬のことをあなたに伝えるでしょう。2月にひどい病気にかかった後、私は自分の体力を取り戻すことができずにいました。6月までパリに滞在していましたが、仕事や書き物、散歩のための外出ができませんでした。私はあなたの心のこもったお招きを、お受けすることができなかったのです。ジヴェルニーで素晴らしい1日を過ごし、あなたの大プロジェクトに触れることは、私にとって非常に大きな喜びとなったでしょう。ご容赦ください。私は不運を残念に思っています。

医者は私をモン=ドールに送りました！しかし、この温泉で他の患者たちと顔を合わせて食事することへの恐れから、私は逃げ出しました。その代わり、この港で水彩療法を行うことにしました。色とりどりの帆、さまざまな色の船体、そして輝く光…この港はまるで美しい絵画のようで、キュビストやネオ・ダビディアンを垂涎させることでしょう！私はこの治療法を順調に続けています。体力が戻りつつあるので仕事を始めようと思います。
親愛なるモネ様、私の敬愛と心からの挨拶を添えて。
ポール・シニャック

召使い頭のご家族によろしくお伝えください、もしご一家がまだそちらにいらっしゃれば。

December 1936.

Comrades: *Pollack, Sandy, Lehman;*

    Since I realize that there exists a misunderstanding on the part
of some of you as to the provisional closing of the workshop and my
present activities for my next exhibition, I believe that it is
necessary to write this letter by way of explanation.

    I would like you to remember our last meeting at 5 West 14th St.
when we unanimously agreed to close our workshop as a place for daily
xxxixxixxxxxxxxxxxxxxxxx production so as to give me time to prepare
my personal exhibition, believing this exhibition could help our
initial movement to further the understanding of the people about our
technique. To further this plan we agreed that a small number of
comrades who could devote most of their time would help me in the
realization of my work.

    I believe I explained everything very clearly at this meeting -
that to realize my plan it would be necessary for me to seclude my-
self for some time. And now I want to say that I am working in
accordance with this plan, and at this time I am at more unrest with
the problems of form in art than ever. I have not yet crossed the
bridge of experimentation that will put me on the road to production,
and for this reason I have not yet asked you all to come to my place
and carry on a collective discussion of our realizations. However,
the time is near, and I sincerely ask you to be patient-with the
assurance that before I leave the United States our workshop will open
again under very different conditions from the lamentable misunder-
standings which disrupted our work in the past.

                 Always your comrade,

                 Siqueiros

ダヴィッド・アルファロ・シケイロス（1896-1974）から
ジャクソン・ポロック、サンデ・ポロック、
ハロルド・リーマンへ

1936年12月

1920年代、メキシコの画家ダヴィッド・アルファロ・シケイロスは大規模な公共壁画プロジェクトを通して、革命後*1、メキシコ史に新たな社会主義の物語を生み出すための運動に深く関わっていた。**1925**年、彼はメキシコ共産党の仕事に専念するために絵画を断念した。このことが後の投獄や、**1932年**のアメリカ亡命につながった。ロサンゼルスで彼は政治壁画を制作するための「**Bloc of Painters**（画家の連合）」を設立した。そのメンバーには、ハロルド・リーマン、フィリップ・ガストン（p.25）、そしてジャクソン・ポロックの兄、サンフォード・（サンデ）・ポロックが含まれていた。

1936年、シケイロスは**NY**に移動した。**4月**、西**14**丁目のロフトで現代美術技法研究所を設立し、若いアーティストたちに合成塗料や非伝統的な技法による実験を奨励した。

シケイロスのワークショップの他の参加者たちと同様に、サンデとジャクソン・ポロック（p.121）兄弟も連邦美術計画に参加していた。それは経済恐慌時代における、アーティストを公共事業に雇用するための計画だった。彼らはシケイロスと共同して**NY**のメーデーのパレードのための、大がかりな山車を制作した。

シケイロスはこの手紙で、何故ワークショップが一時的に閉鎖されたのかを説明する。彼は新たな仕事に専念し、また恐らく、明示されていない「悲しむべき誤解」から逃れるために身を「隔離する」必要があった。翌年、シケイロスはスペインへ出発し、そこでスペイン内戦*2の共和国軍に加わった。

*1 訳者注：1910年～1917年に起きた
　　メキシコ革命
*2 訳者注：1936年～1939年、スペイン
　　に起こった人民戦線政府とフランコ率
　　いる反乱軍との内戦

Artist's Letter

同志：ポロック、サンデ、リーマンへ

私の次の展覧会のため、ワークショップと私の現在の活動を一時停止することに関して、君たちの一部に誤解があると思うので説明したい。

西14丁目5番地での最後の会合を思い出して欲しい。その時、私が個展準備の時間と場所を確保するために、ワークショップを閉鎖することに全員一致で合意した。なぜならこの展覧会が、私たちの技法に関する人々の理解を促進するという、当初からの運動の助けになると信じたからだ。さらに計画を進めるために、時間の大半を自由に使える少数の同志が私に手を貸す、という点でも合意した。

私はこの会合で、全てを明確に説明したと信じている―私の計画を実現するためにはしばらくの間、私自身が社会から身を隔離する必要がある、ということも。そして私は今、この計画に従って動いている。私は今この瞬間にも、以前にもましてアートにおける形式の問題を心配している。制作の軌道に乗せてくれる実験の橋を、私はまだ渡っていない。そのため、君たち全員を私の所に呼び、皆で議論をしようとはしてこなかった。しかし時は差し迫っている。それ故、君たちに耐えるよう心から頼みたい。私たちの仕事を過去に崩壊させた悲しむべき誤解とは全く違った状況で、私たちのワークショップは開催されるだろうという確信の下に。

変わらぬ君たちの同志。D.A.シケイロス

montrouge (Seine)
22 Rue Victor Hugo
Mon cher Cocteau
Je suis bien triste
de vous savoir malade.
J'espère que vous
irez bien bientôt et
que je vous verrais.
A montparnasse mercredi
prochain festival en
l'honneur du musicien
Je compte vous voir.
J'ai des bonnes idées
pour notre histoire de
Théâtre - Nous en parlerons
Bien à vous Picasso

パブロ・ピカソ（1881-1973）から
ジャン・コクトーへ

1916年11月16-19日

　パブロ・ピカソがジャン・コクトー（p.149）に初めて会ったのは、1915年6月だった。パリのキュビストたちのサークルは第1次世界大戦によって崩壊し、ジョルジュ・ブラックらアーティストたちは、その当時兵役に就いていた。コクトーから刺激を受けて、ピカソは興行主セルゲイ・ディアギレフとそのバレエ団、バレエ・リュスを中心とした新しい前衛サークルに引き寄せられた。一方コクトーは、ピカソの魔力にひれ伏した。

　コクトーは20歳代前半に最初の詩集を出版した後に、ディアギレフと彼のダンサーたちや、アートに関わる共同制作者たちと出会った。当時のヨーロッパの観客にとって、ディアギレフの作品はモダニティの具現だった。センセーショナルかつショッキングで、音楽や動きとビジュアル・アートの融合は前例がなかった。コクトーはバレエ・リュスのためにポスターをデザインし始め、1912年にはロシアの偉大なダンサー、ニジンスキーが主役を務める『青い神』の台本を書いた。

　ピカソが彼らと出会った時、コクトーは既にバレエ『パレード』のためのシナリオを練っていた。彼は自分の新しいバレエを「総合的」な作品にしたいと望んでいた。ピカソを説得して、衣装や舞台セットをデザインしてもらえれば、『パレード』はキュビスム—誰も見たことがない革命的なもの—をステージに乗せ、人々を驚かすことになるだろう、と。1916年5月、彼はディアギレフを伴ってピカソのスタジオを訪ね、8月にピカソはチームの一員になることに同意した。そこには作曲家のエリック・サティや振付家のレオニード・マシーンが含まれていた。11月にピカソがモンルージュにある新しいスタジオから、コクトーへこの見舞い状を書いた時、舞台上の作業はまだ本格的には始まっていなかった（共同制作者たちが1917年2月にローマに集まった時に始まることになる）。四六時中、新しい視覚的効果を探求することに余念がなかったピカソは、キュビストのリフ*以上に、バレエ・リュスの織物文様にもっと相応しい、水彩によるデザインで手紙の周囲を飾った。

　『パレード』の初演は1917年5月18日にパリのシャトレ座で行われた。キュビスムの大きな構成物を纏った数人のキャラクターと、大がかりな垂れ幕がその呼び物となった。これはピカソがそれまでに制作した最大の絵画であった。その前で、雑然としたパフォーマーたちの集団と、羽根の生えた一頭の馬とが舞台を埋め、馬の背の上では妖精が優美にバランスをとっていた。モダン・アートのファンと、休暇中の西部戦線兵士たちとが混在する観客席の反応は、予想（望まれてさえいた）通り、慣慨だった。

* 訳者注：音楽用語。リフレイン（反復）の略語。作品を引き立たせるための短いメロディや小節の反復。ここではキュビスム風の反復模様の意

Artist's Letter

モンルージュ（セーヌ川）22ヴィクトル・ユーゴー通り
親愛なるコクトー

　あなたが病気だと聞いてとても悲しく思います。私はあなたがすぐに回復し、またお会いできるようにと願っています。次の水曜日にモンパルナスで開催される、ミュージシャンを称えるフェスティバルで、お会いするのを楽しみにしています。私たちの舞台のために良いアイディアを思い付きました—それについて話し合いましょう。

敬具　ピカソ

Vermont
Thursday Aug 16

Dear Lee —
I wish I could find some way to tell you how I feel about Jackson. I do remember my last conversation with you, and that, then, I made some effort to tell you. Unfortunately I had never found the occasion nor really knew a way in which to sufficiently indicate to him. Whatever it may have meant to him, it would have meant a lot to me to say so; especially now that I realize I can never do it.

What I am trying to say that, particularly in recent months, and in addition to his stature as a great artist, his specific life and struggle had become poignant and important in meaning to me, and come a great deal in my thoughts; and that the great loss that I feel in not an abstract thing at all,

1956年の夏、リー・クラスナーはロングアイランドのスプリングスにあるジャクソン・ポロックとの2人の住まいに彼を残し、ヨーロッパへ旅立った。彼らの結婚は精神的な緊張状態にあったので、その旅行は2人に休息の場を与えた。7月下旬のパリからの手紙で、クラスナーはポロックにこう書く。「あなたがいないと寂しい、あなたも同じ気持ちでいてくれたら」(p.211)。しかし彼女の帰宅予定直前の8月11日にポロックは自動車事故で亡くなる。運転中の飲酒によるものだった。彼女は戻って、葬儀の準備をした。

マーク・ロスコのお悔やみの手紙は葬儀後の日付になっている。彼はポロックに顔を合わせて「君は素晴らしいアーティストだ」と伝えなかったことを後悔している。現役のアーティスト間で、このような類の賛辞が交わされることは滅多にない。これは、ロスコとポロックがその主導者だった戦後の運動・アメリカ抽象表現主義が、1956年までに歴史にその位置を占めようとしていたことを暗示している。彼らの作品は対照的だった。1950年代初頭のロスコの絵画は、薄塗りの輝くような色彩の、大きな矩形のブロックに基づき、一方のポロックは、筆の軌跡や絵の具の跳ねの集合で表現していた。しかし彼らは共に、NYの同じギャラリーで展覧会を開き、アート界の数多くの友人や仲間を共有していた（ロスコはバーネット・ニューマンに言及している）。

クラスナーもアーティストだったが、ポロックのサポートにエネルギーの多くを注いできた。ロスコは、彼女の努力が無駄ではなかったこと、特にポロックが燃え尽きて方向を失い、過去18ヶ月間、何も制作しなかったことが分かるだけに彼女を慰めようとする。ポロックの創造的な「闘い」に共鳴しながら、ロスコは何度も言葉の壁に突き当たる。彼は自分が賞賛していることをほのめかす方法がどうしても分からなかったのである。ロスコはクラスナーに、「大いなる喪失」というフレーズが月並みに聞こえないようにすること、また彼との死別感が「抽象的なものではない」と分かってもらうことが必要だった。

Artist's Letter

バーモントにて
親愛なるリー

私がジャクソンをどう思っているか、あなたにお伝えできればと思ってきました。あなたとの最後の会話を覚えています。その後も、私はあなたに伝えようと努力しました。残念ながらその機会も見つけることができず、彼について十分に言及する方法も本当に分からなかった。それが彼にとってどんなことを意味したにせよ、それを口にすることは私にとって多くのことを意味したでしょう。しかし今はもう、それができないことを思い知らされています。

私が言いたいのは、特にこの数カ月間、彼の偉大なアーティストとしての姿に加え、彼の特別な人生と闘いの意味が、私にとって痛切かつ重要なものになってきたということ。そしてそれが私の思いの大部分を占めていること。また私が感じている大きな損失は、決して抽象的なものでないということです。

私はトニーと話をして、彼とバーニーが水曜日にあなたとご　緒することを知りました。私もご　緒させて頂けたらと願っています、私自身のためにも。

早く会いましょう。そして私たちの真心からの愛をあなたに。
マーク

エドゥアール・マネは40歳代以降（彼は51歳で死去した）、梅毒に起因する急性関節痛に苦しんだ。パリ郊外のベルビューにある小さな借家で、妻のスザンヌと過ごした1880年の夏は、仕事休みと安静療養も兼ねてのものだった。1859年、パリのサロンに初めて登場して以来、マネの作品は極めて複雑な受け止め方をされていた。1860年代には《草上の昼食》や《オランピア》をめぐる有名なスキャンダルがあった。それらは、オールド・マスターたちに倣いつつも、明らかに現代的セクシュアリティを融合させた作品だった。1870年代に入り、彼の色彩が明るく、筆使いが軽快になるにつれて、マネの名前は若い印象派のアーティストたちと結び付けられたが、マネは彼らと一緒に作品を展示をしたことは一度もなかった。

ベルギーのアーティスト、ウジェーヌ・マウス宛ての手紙でマネは、その前年に描き終えた絵画《ラテュイユ親父の店》（トゥルネー美術館）を、1880年のゲントのサロンに出品したことに触れている。それは屋外のカフェ・テーブルでの日常的な誘惑シーンを描いたものだった。彼は、作品を売却したお金が「自分自身を世話する」費用の足しになることを期待している。マネは病身の仲間としてのマウスに挨拶の手紙を送り、そこで彼に、北部海岸の保養地ベルク・シュル・メールに関するアドバイスを与えている。

抗生物質がなかった時代、中産階級の旅行はしばしば、肺結核のような致命的な病気から一時の安らぎを得るための試みだった。雨が上がると、マネは「失われた時間を埋め合わす」ことができたようだ。彼は屋外でくつろぐシュザンヌを描き、そうでない日には室内の静物画に取り組んだり、友人への手紙に水彩で庭の果物や花を描いたりした。

* 著者注

エドゥアール・マネ（1832-1883）から
ウジェーヌ・マウスへ
1880年8月2日

Artist's Letter

親愛なるマウス

長旅で疲れ切ってしまうのは馬鹿げている。しかしそれでも、君は再び良くなっているので、そんなに悪いことではないだろう。君が回復しているのを聞いて、本当に嬉しく思う。完全に良くなるまで、そんなに時間がかからないと確信しているよ。私は幸いにもまだベルビューに滞在しているが、未だにアップ・ダウンを繰り返している。しかしそんな風であっても私は満足し、10月の終わりか11月15日までここに滞在する予定でいる。仕事があったとしても、何もしていない。しばらく雨や風が続いている。晴天が続けば猛烈な仕事欲に囚われ、失われた時間を取り戻すだろう。

私は展覧会のための絵《ラテュイユ親父の店》をゲントに送った。成功を当てにしているわけではないが、私の願いは絵が売れることだ。自分の世話にお金がかかるからね。君が話していた人物を覚えている。それはずいぶん昔に描いたものだが、ディーラー所有のものになれば—。

時々あなたの近況や声を聞かせてくれ。エド（ゥアール）*・マネ

水治療法、医師などが見つかる海辺の保養地としてベルク・シュル・メールを勧める。

14th Sept 1988

21036   Pacific Coast Hwy
Malibu   90265

213   456   9780

My dear Ken,

I am now living in a lovely cosy little house on the very edge of Western Civilisation, — it ends about 12 inches from my window. I have a little studio here, and I'm painting portraits. I still have Montcalm of course + the laser printer is up there, — but my fax machine is here so I can communicate in a new way with my friends. I love the way really advanced technology is bringing back the hand again, — another aspect of intimacy from new technology.

Write me, this new use of the phone is terrific for deaf people. I see the messages now.

much love

bill

Fax   456   6251

「DH AT THE BEACH」という見出し付きのファックスは、1980年代半ばにデイヴィッド・ホックニーがマリブに購入した小さなスタジオ付きの「居心地の良い小さな家」から送られた。その家は、ハリウッドヒルズのモントカーム・アベニューにある彼のスタジオ兼住居に代わるワーク・スペースとして購入された。「ここで僕は世界最大のスイミングプールの縁にいる」と彼は語る。数フィート先の太平洋は「火と煙のように限りなく変化し、限りなく魅惑的」だった。

画像制作のために、新しい技術の応用に関心のあったホックニーは、コピー機やポラロイド・カメラ、レーザー・プリンタを使って実験をしていた。この頃、事務用に普及し始めていたファックス機は「それでアートを作ることなど、誰も考えなかった"もう1つの機械"」であり、彼の難聴の問題を緩和させるものでもあった。アーティストが在廊していなくても展示が成立するように、ホックニーはギャラリーに設置可能なマルチ・シート型のファックスで画像を制作し始めた。このやり方で、彼は1989年のサンパウロ・ビエンナーレに、展示を丸ごと送り届けた。

ホックニーが版画印刷の第一人者ケネス・E・タイラーに手紙を書いた時、彼はファックス利用の初期段階にあった。同時にタイラーも飽くことなき版画制作技術の革新者だった。タイラーが協力したアーティストにはヘレン・フランケンサーラー、ジャスパー・ジョーンズ、ロイ・リキテンスタイン、ロバート・ラウシェンバーグがいたが、特にホックニーとは長年にわたって親密な関係が続いていた。ホックニーがイギリスからロサンゼルスに移り住んだ直後の1965年のリトグラフ・シリーズ《A・ハリウッド・コレクション》から、その関係は始まった。1978年、タイラーはホックニーに協力して、プレスされた着色紙パルプを使って版画を制作した。最近では、タイラーは、高さ2メートルに及ぶ屏風作品《カリブ・ティータイム》（1985 - 87年）の印刷に携わっている。

「僕はいつも沢山のハイテク機器を使ってきたが、本当はローテク信者だ。僕は心、目と共に、手を信じてきた」と、ホックニーは1988年に振り返る。30年後の今でも彼はアート制作のためにiPad上でドローイングし、その親密さや「手の復権」を確かめながら、最新のテクノロジーを吸収しようとする。

デイヴィッド・ホックニー（1937-）から
ケネス・E・タイラーへ
1988年9月14日

Artist's Letter

21036太平洋岸ハイウェイ・マリブ90265
親愛なるケン

僕が今住んでいる爽やかで居心地の良い小さな家は、西洋文明の端っこにある。その端っこは、僕の家の窓からほんの12インチのところで終わる。ここには小さなスタジオがあり、肖像画を描いている。もちろんモントカーム［のスタジオ］も持っていて、そこではレーザー・プリンタも使える。しかし、専用のファックス機がここにあるので、僕は友人たちと新しい方法でやりとりすることができる。僕は最先端のテクノロジーが手仕事を復権させる方法を愛している。新しい技術が持つ、親密さのもう1つの側面だ。

手紙を書いてくれ。電話のこの新しい使い方は、聴覚障害者にとってすごくいい。僕は今、メッセージを見ている。
愛を込めて。デイヴィッド

MoUvEmEnt

DADA

BERLIN, GENÈVE, MADRID, NEW-YORK, ZURICH.

PARIS,

Thine
Émile Augiez
Paris XVI

CONSULTATIONS : 10 frs

S'adresser au Secrétaire
G. RIBEMONT-DESSAIGNES
18, Rue Fourcroy, Paris (17ᵉ)

DADA
Directeur : Tristan Tzara

D₆O⁴H²
Directeur :
G. Ribemont-Dessaignes

LITTÉRATURE
Directeurs :
Louis Aragon. André Breton
Philippe Soupault

M'AMENEZ'Y
Directeur : Céline Arnaud

PROVERBE
Directeur : Paul Eluard

391
Directeur : Francis Picabia

'Z'
Directeur : Paul Dermée

Dépositaire
de toutes les Revues Dada
à Paris : Au SANS PAREIL
37, Av. Kléber   Tél. : PASSY 25-22

le 8 Novembre 1920

Mon cher Stieglitz,

Loffite, directeur de "La Sirène" va publier un livre important; je viens vous demander si vous voulez y collaborer en m'envoyant prose, poèmes, avec votre portrait — Je serai très heureux que vous figuriez dans ce livre qui sera certainement le plus considérable qui ait été fait depuis longtemps — Nous y serons les uns à côtés des autres et pourrons en le parcourant nous rappeler toutes nos idées et même celle des années passées — Très affectueusement —

Francis Picabia

P.S. En ce qui concerne votre portrait vous pouvez nous envoyer photo dessins ou reproductions quelles —

フランシス・ピカビア（1879-1953）から
アルフレッド・スティーグリッツへ
1920年11月8日

　第1次世界大戦中、昔から崇められてきた文化基準は、ヨーロッパが無意味な殺戮と破壊へ転落していくのを防ぐことができなかった。ダダは、これ対するアーティストたちの破壊的な反応として生まれた。ルーマニアのアーティストで、ダダの指導者兼スポークスマンであったトリスタン・ツァラは、仲間のダダイスト、フランシス・ピカビアのゲストとしてパリに移住して来た。ヴェルサイユ条約がヨーロッパの再構築のスタートとなったように、ツァラは戦後の世界秩序の中において、アナーキーで革命的な『Dadaglobe（ダダの地球）』という本の創刊を目指した。そのためにピカビアはツァラをジャン・コクトー（p.149）に紹介した。しかし、コクトーは自分の代わりにポール・ラフィットを紹介した。ポールは1917年に出版社エディション・デ・ラ・シレーヌを立ち上げた、フランス映画界に早い時期から登場した投資家であった。

　1920年11月、ツァラとピカビアは論集『ダダの地球』への寄稿を募り始め、「ダダイスム」の公式のレター・ヘッドが印刷された。ベルリン、ジュネーブ、マドリード、**NY**、チューリッヒに支部を持つグローバル企業のスタイルを模倣しているところを見ると、この無政府主義の反権威主義運動が、世界的広がりを目指していたことが分かる。

　ピカビアは、アメリカの隠れた寄稿者と連絡を取る仕事をしていた。1915年にフランス軍艦から逃亡した後、彼は**NY**に1年滞在し、写真家アルフレッド・スティーグリッツ（p.151）と共同で仕事を行った。ピカビアは当然、彼のリストにスティーグリッツを含めた。その間NYでは、マルセル・デュシャン（p.45）と、ピカビアの離婚した妻ガブリエルが、刊行物の「アメリカン・ダダ」セクションを埋めようとしていた。デュシャンの友人マン・レイが3枚の肖像写真を同封して返事を返してきたが、スティーグリッツはこれに応えなかった。ピカビアの手紙は散文や詩、もしくはその両方という要望で始まっていたので、スティーグリッツは、おそらくマン・レイがそれに相応しいものを提供できないと感じたのだろう。

* 著者注

Artist's Letter

ダダイスム（ベルリン、ジュネーブ、マドリード、NY、チューリッヒ）
14 エミール・オジエ通り、パリ16区
親愛なるスティーグリッツ

　シレーヌのディレクター、ラフィットは重要な本を出版する予定です。それに対し、散文作品や詩、またあなたご自身の写真を添えて寄稿して頂けるか、お尋ねいたします。私はこの本の中で、あなたを取り上げることを非常に嬉しく思います。この本は必ずや最も注目に値するものとなり、長きにわたって作り続けられていくでしょう。私たちは、この本の制作において互いに肩を並べ、あらゆるアイディアや、かつての理想を楽しく蘇らせるでしょう。ご多幸を祈ります。
フランシス・ピカビア
追伸　あなたのポートレートに関してですが、私たちに送っていただくのはドローイングでも複製物（写真）*でも構いません。

Dear Enno,

I just returned from Utah.
I'm happy to hear you enjoyed
my work in Emmen. But hope they
will not destroy it. It seems that
John Weber did not find time to visit
my work — that is unfortunate,
because I have so few photos of
the work. Both Beeren + Zijlstra
have yet to let me know what's
going on. So, I really appreciate
your serious concern and
interest in the project. For one
thing, the project is outside the
limits of the "museum show"; there
are a few curators who understand
this. As Jennifer Licht says, "art
is less and less about objects you
can place in a museum"; the ruling
classes are still intent on turning
their Picassos into capital. Museums
of Modern Art are more and more
banks for the super-rich.

　　　　　　　　アーティストからアーティストへ

NYの若手アーティストとして登場したロバート・スミッソンの最初の出発点は、抽象表現主義だった。1960年代半ばになるとミニマリスト的な表現を使って制作を開始。透明な金属やガラスを使って彫刻を構成し、その中に岩や産業ガラのような粗い鉱物素材を組み込んだ。スミッソンは人間による景観破壊に対する賠償の形として、大規模なアースワークに興味を持つようになった。1970年、ユタ州グレートソルト湖にある、今は無くなってしまった石油採掘場の近くで、石、塩、土を使って盛り上げた巨大な湾曲岬《スパイラル・ジェッティ》を構築した。翌年には、オランダのエメンの近くで2つの要素からなるアースワーク《ブロークン・サークル》と《スパイラル・ヒル》を制作した。地元の美術館長スーク・ジルストラは、この作品の保存を確実なものにするために一計を講じた。ハーグの市立美術館の研究者エンノ・デベリングに働きかけ、現代アート論の文脈におけるその重要性を評価し、問題に目を向けてもらおうとしたのである。2年後、スミッソンは飛行機事故で亡くなる。テキサス州でアースワークの適地を調査しているところだった。

＊ 訳者注：当時のNY近代美術館キュレーターと思われる

Artist's Letter

ロバート・スミッソン（1938-1973）からエンノ・デベリングへ
1971年9月6日

親愛なるエンノ

　今、ユタから戻りました。あなたがエメンにある私の作品を楽しんでくれたと聞いて嬉しく思います。彼らがそれを破壊しないと良いのですが。（中略）私はあなたのプロジェクトに対する真摯な関わり方と関心に、心から感謝します。まず第1点は、このプロジェクトが「美術館展」の限界を超えたものであることです。これを理解しているキュレーターは数人います。ジェニファー・リヒト＊が語るように「美術館内に置くことができるアート作品はその数がますます少なくなって」います。しかし支配階級は、依然として彼らが所有しているピカソ作品を資本に変えることを目論んでおり、近代美術館は大富豪にとって銀行のようなものになっています。（中略）アートはあらゆる階層に行き渡る、現在進行形の発展であるべきです。しかし今日、アーティストは植民地住民のように扱われ、組織的に分断されています。もちろん、支配権力による通貨両替を受け入れ、抽象絵画や彫刻を作ることでこの保守的な情況に加担するアーティストもいます。

　持ち運び可能な抽象作品を作ることで、中産階級のアーティストは営利主義者の思う壺にはまります（中略）コンセプチュアル・アートは保証のないクレジットカードのようなもの、また抽象絵画は保証のないお金のようなものです。だから非常に多くのギャラリーが破産しているのです。近代美術館は過剰に作品を消費して、それらを倒産させてしまいました。

　これを書いたら、私はすぐにエメンのプロジェクトに戻ります。私は《ブロークン・サークル》と《スパイラル・ヒル》を、物理的な発展を把握し続けることで維持しなければなりません。私にとって展覧会は終わっていないのです。作品の制作過程を撮ったフィルムはありますが、更に作品を空から撮ったショットも必要です。また、アングルを慎重に検討して静止画も撮影しなければなりません。オランダに戻りプロジェクトに取り組みたいと思っています。私はスーク・ジルストラがこのプロジェクトの重要性を認識し、それが破壊されないようにしてくれることを願っています。まだ分かりませんが、見通しが立てられればと。トルディーによろしく。　　　　ボブ

Giverny par Vernon
eure

Chère Madame

Je n'ai pas encore
eu la possibilité de
venir vous voir depuis
mon retour, si étant-
venu à Paris que bien
et pour quelques heu-
seulement, qui étaient
prises d'avance.
Vous avez su tou-
nos ennuis chez Petit
l'esprit d'être tant donné
de mal en ce n'est
pas droit. D'être
j'ai si cette façon.
il aurait été quelque
d'une exposition
chez Durand-Ruel

クロード・モネとベルト・モリゾは互いをよく知り、1874年のパリでの最初の印象派展以来、定期的に共同で展覧会を開いていた。その後数年が経ち、印象派の絵画が嘲笑の的から、隠れた高値コレクターたちの物件に切り替わると、2人は商業的な成功を収めた。このプロセスに欠かせない役割を果たしたのがディーラーのポール・デュラン＝リュエルで、彼は印象派のアートをプロモートするために多額の投資を行った（そして時には大損をした）。1888年、リュエルはNYにギャラリーをオープンさせ、第2回目の展覧会を計画していた。しかしモネは彼と仲違いし、風景画の近作をフィンセント・ファン・ゴッホの弟でディーラーのテオ・ファン・ゴッホに、まとまった金額で売却する交渉を行っていた。テオもまた、デュラン＝リュエルの野心的ライバルであるジョルジュ・プティと一緒に展覧会を開いていた。デュラン＝リュエルは、まもなく自身のパリのギャラリー経営を自分の息子に譲った。モネがボイコットしようとしていた展覧会はその準備が進み、モリゾ、ルノワール、ピサロそしてシスレーの絵画で1888年5月25日に開幕した。「マネ氏」とはモリゾの夫、ウジェーヌ・マネで、アーティストであるエドゥアール・マネの弟である。

Artist's Letter

ヴァーノン駅近くジヴェルニー、
ウール県にて
拝啓、マダム

　こちらに戻って以来、あなたに会いに行けておりません。昨日だけ、それも数時間だけパリに行き、その間、先の契約で忙しくしていました。

　あなたは私たちが［デュラン＝リュエルの］息子との間で抱えている全トラブルについて耳にしたことがあると思います。一生懸命働いた後、このように扱われるのは辛いものです。デュランの画廊で、展覧会の話がありました。このプロジェクトは私の好みに全く合いませんでしたので、パリに着いた時、私はそれをすぐに断念しました。参加するには時間がかかりすぎます。

　しかし今朝、ルノワールが教えてくれたのですが、この展覧会は開かれることになっており、土曜日にオープンするとのこと。若いデュランは私に相談することなく、彼や色々なコレクターが所有している私の作品を、展示に含めることを提案するらしいのです。私は自分の裁量であらゆる手段を使って、反対するつもりでいます。それが有料の展覧会であるなら、私には権利があります。私の義務と思い、あなたにこのことを前もって知らせておくことにしました。あなたに何らかの影響を与えようとするものではありません。逆に私はあなたを驚かせたくないのです。また皆がそう言っているように、私が諦めの早い人間だとは、あなたに信じてもらいたくないのです。私は、自分の善意をあなたに証言しました。そして私の最大の願いはあなたと展覧会を開くことであると、証明しました。

　私はあなたが1日でも2日でもできるだけ早く、パリに戻ることを願っています。そしてあなたがジヴェルニーに、1日でも来てくださることを期待しています。

　あなたもマネ氏も、安心してお過ごしください。
　　　　　　　　　　　　　　　　クロード・モネ

MEXICO, June '78

DEAR PARR'S,... LIEBE FAMILIE PARR,

AFTER WE HAVE BEEN 3 WEEKS IN
NEW YORK WE WENT DOWN SOUTH
TO MEXICO... THE BEST WE DID...!
YOU CAN'T BELEAVE HOW GOOD WE FEEL
OVER HERE. THE CLIMAT, FOOD, NATURE
THE PEOPLES BEHAVEIRS, SHORT IT'S
JUST WHAT WE LIKE AND MAKE US
FUNCTION SO GOOD)
THERE IS SOMETHING THERE... LIKE AIR
EVERYWHERE WHICH MAKES US FEELING
COMFERBAL. RICH. SLOWLY WE ADOPT
NATURE AND DISCOVER GREAT THINGS.
LIKE JUMPING BEENS WHICH YOU CUT
AND BY OWN ENERGY THERE MOVING.
JUMPING FOR MOUTH...
PICKS (KILLING AM) EATING RATTLE SNAKS...
NOT TO FORGET...TEQUILA OR BETTER MESCAL
A UNREVINGRL DRINK FROM THE GOD'S
...I BELEAVE.
ALL TOGETHER. IT'S A FRUTEBAL TRIP.

TO YOU. DID YOU HAD A GOOD TRIP
BACK HOME?! WHAT WE IMAGE ABOUT
IT MUST BE LIKE LEAVING IN A SATELITE
THE EARTH...
ONES WE HOPE HAVING THIS EXPERIENCE
AND IT SEEMS TO BE POSSIBLE NEXT YAER.
WE WILL HAVE A GRATE TIME. ALL OF US!
AS WE BUROT ALLREADY ON THE CARS WE
DID SEW A FEW DAY AGO. AS SOON AS
WE ARE BACK IN HOLLAND. WE WORK OUT

I OFFERD HERE A SECOND PAGE. BUT SHE IS UNREADABLE
I don't love him all that much
here a space to right. love you

パフォーマンス・アーティストの
マリーナ・アブラモヴィッチとウライ
（フランク・ウーヴェ・レイシペン）
は1976年に一緒に仕事を始め、
一緒に暮らし始めた。彼らは自分
たちの目標を「流動的な生活、永
久運動、直接的な接触、地域との
関係、自己選択、極限の通過、危
険を冒すこと、モバイル・エネル
ギー」と表現した。初期のコラボ
レーション《息を吸って、息を吐
いて》は、それぞれのアーティスト
が、他の人が吐いた息だけを吸う
というもので、彼らのパフォーマン
スは、身体を極限まで追い詰める
ことがその特徴だった（この場合
はCO_2吸入のための、約20分間
の集中状態の高まりであった）。

1978年4月、ウィーンで開催さ
れたインターナショナル・パフォー
マンス・フェスティバルで、マリー
ナとウライはオーストラリアのアー
ティスト、マイク・パーと出会った。
彼らがメキシコからパーへ宛てた
手紙は、その大部分がウライに
よって書かれており、会いたい気
持ちや、ヨーロッパのAIR*1への
申し込みについてのアドバイス、
「ブーメラン」の依頼（p.77）など
が入り混じっている。ブーメラン
は将来のパフォーマンスのための
小道具で、郵送先はウライのアム
ステルダムのギャラリー、デ・アペ
ル宛てとの指定があった。

*1 訳者注：アーティスト・イン・レジデンス
　（滞在型制作）の略
*2 訳者注：メキシコトビマメ。中に入って
　いる蛾の幼虫が動くと、豆がひとりでに
　動いているように見える

Artists' Letter

親愛なるパー…愛する家族パー
　NYに3週間滞在した後、私たち
はメキシコへ南下しました。ベスト
を尽くしました！ 私たちがこちらで、
どんなに気分がいいかあなたは想
像できないでしょう。気候、食べ物、
自然、人の振る舞い…それはまさ
に私たちが好きなもので、とても気
持ちよく過ごしています。
　ここには、空気のようにどこにで
もあり、私たちを快適で豊かな気分
にさせる何かがあります。私たちは
ゆっくりと自然を受け入れ、偉大な
ものを発見します。例えば、ジャン
ピング・ビーンズ*2のように、ナイフ
でカットされたり、自分のエネルギーでその場で動いた
り、口に向かってジャンプしたり。またガラガラヘビを突
いて殺して食べたりしています。忘れてはならないのは、
テキーラやもっと旨いメスカル酒。これは神から授かった
信じがたいドリンクです。私はそう信じています（中略）
　帰国の旅はいかがでしたか?! 宇宙船で地球を出る
ようなものに違いない…と想像しています。私たちもそ
ういう体験をしてみたい…きっと来年には可能になるで
しょう。皆で、素晴らしい時間を過ごしましょう！ 先日も書
きましたが、できるだけ早く戻って、オランダでのAIRの
ための可能性を探ります。可能ならマイク…あなたと、
あなたの家族のためにも！（中略）
　忘れるところでした、大事なお願いがあります。名前
は…ブーメラン。ちゃんと戻ってくる、木で作ったオリジ
ナルのブーメランです。同じものを10個欲しいのです
が。もしあればそれについての文献や記録を、私たち
の住所に送ってもらえますか? 私書箱デ・アペル、ブラ
ウズグラス196、アムステルダム、オランダへ。1ヶ月以
内に代金を送ります。100ドルくらいかと思っています
が、もし超えるようでしたら知らせてください。それ以下
でしたら、残りは家族パーティーのドリンク代の足しに
してください。また連絡を取り合いましょう…。
メキシコから愛を込めて（ジェームス・ボンドみたい！）。
ウライ&マリーナ、乱筆ながら愛を込めて、Mからもキ
スを

ウライ（1943-）、
マリーナ・アブラモヴィッチ（1946-）から
マイク・パーへ
1978年6月

Mike Parr,
P.O. Box M56,.
Newtown South, nsw 2042.
Australia. 24.7.1978

Dear Marina/Ulay,
           Parr's very very pleased to hear from you. we got the
card ok and i've had the girl's kicking right under my nose for about a
month but i'm still very slow off the mark. today(about 4½minutes ago)
i got your letter with the news about mexico and the tequila etc which
sounds very good indeed. i am really so pleased you've kept in touch.
since being back we've had a very hectic time but now it is coming under
control. got the same house back in this suburb of sydney we previously
rented and now everything is going ok. our 3rd winter in a row. got back
and we all headed up to queensland which is the northern part of australia
to get car and dog. very strange after the heavy civilization matrix
europe(but not so strange after the country south of yugoslavia). 1000km's
in a typically crazy australian train-very slow and we had the cheapest
arrangement and all night there was a country football team off to the
big match in some northern ant town of 11½people drinking and swopping
stories anf gum trees anf goannas and drink vomiting-technicolor yawn we
call it here till the sun came wandering over hill that look like the
end of the world and spaces that crawl to the edge of the horizon line
that make you feel in a dream. at breakfast just as we were knawing eggs
a woman became epileptic besides us and started swallowing her tongue
and tearing up the vacuums round the cowboys heads. she ate my spoon as
we were saving here. her little son crawled under a table and ate a piece
of bread. in a little town with maybe 30people she got out and wandered
away in the dust. maybe the countryside is a little bit like mexico.
these anglo saxons from 150yrs ago are very strange when they're inbred.
mexico sounds amazing. i have a friend in the country felipe ehrenberg who
you may know because he was many yrs in europe-very nice but when you
receive this perhaps you'll be in amsterdam and mexico will be another
life you remember when you're old sitting in the sun. we very much hope
that all can be organized for you to come here. i keep talking to nick
waterloh about it but you must write to him as quickly as you can and start
a dialogue about all arrangements. i'll include his address here though i'm
sure you'll have it maybe i'll put it at the bottom of the letter because
if i stop now i'll have to have another cup of coffee. we hope we hope you'll
be here next year. this is a big place and you can stay here without any
problem at all we have a little car which you can use and while you're by
whatever means it does not matter how we much take you for a long trip out
into the interior of australi that is such amazing country you could not
imagine it and stretches endless and barren like stones had been falling
endlessly from the sky for thousands of years in the deserts and many times
you can go all day or 2 days 3days without seeing a human being or a shelter
in all that great distance. i think it would be very strange with you and
i would love to be with you on such a trip to sit round a fire at night and
watch your faces. about a boomerang i understand exactly and i(m sure
there is no problem in getting you one this weekend i will go with tess and
try to get you an authentic one and will send it to the de appel address
i'm sure it costs no where near $100 so i think you should wait before
sending money because maybe it is very little. i do not know how to throw
them so as to make them return but it is a 'knack' where you get a flick
into your wrist maybe like the kind of rhythmn you must have to crack a
whip along the ground. i'm sure that there must be a lot of information on
them. its a very ancient weapon and i think widespread once in paleolithic
times even in europe but now the aboriginals here must be the last people
on earth to have it. all this is nova express stream of c. from my head
and hope that you can frame it into sense. it has been a very lucky day
for me because simultaneous with your letter was one from the australian
foreign affairs in canberra informing all my stuff had returned from
hungary including the prints of my films so that makes life easier and the
people who bought them will maybe think mike parr is not such a rat. i am
fighting the battle to get money to finish the 3rd part which is a big
film of a couple of hours but here the government is crazily going backwards
and soon we'll be eating the money and operating on one another because onl
meat is cheap you got to try hard i suppose to be a surrealist but here th
try so hard they're soft in the head. love from insatiable parrs

        アーティストからアーティストへ

Artist's Letter

オーストラリアのアーティスト、マイク・パーはパフォーマンス・アーティスト仲間のマリーナ・アブラモヴィッチとウライ（p.75）から受け取ったばかりの手紙に返信を書く。彼らは、つい先ごろヨーロッパで出会ったばかりだった。3人は皆、パフォーマンスで身体を極限にまで追い詰めたいという願望を共有している。パーが手紙で言及している「色の着いたあくび」は、彼の1977年の作品《嘔吐を催させるもの　私はアートという病気に罹っている》を反映している。その作品で彼は、パレットに入ったモンドリアンの赤、黄、青のアクリル絵の具を吸い込んで、吐き出す。マリーナとウライは、1979年の第3回シドニー・ビエンナーレのためにオーストラリアにやって来て、1980年に戻るまで奥地で5ヶ月を過ごした。彼らの1981年のパフォーマンス《アーティストたちによって発見されたゴールド》には、金で覆われたブーメラン（おそらくパーが提供すると約束したもののうちの1つ）と、生きたニシキヘビが使われた。

親愛なるマリーナ、ウライ

　パーは、今日（約4分30秒前に）あなた方からのお便りを受け取りとても嬉しく思います。メキシコやテキーラについてのニュースもあり、とても楽しそうですね。戻って来てから、非常に忙しない時間を過ごしてきました（中略）私たちは全員で、車と犬を手に入れるために、オーストラリア北部のクイーンズランドまで北上しました。ヨーロッパの重々しい文明の後では非常に奇妙に感じられる土地です（しかしユーゴスラビアの南部地方で過ごした後ほどではありません）。オーストラリアの典型的ながたがた汽車での1000kmの旅は、非常にゆっくりしたものです。私たちは最安値の宿に泊まりました。北にある人口11.5人の、蟻のように小さな町で行われるビッグ・マッチに向かう、地方のフットボール・チームが泊まっていました。彼らは一晩中飲み、さまざまな話を交わしていました。ゴムの木やコモドオオトカゲ、こちらでは「色の着いたあくび」と呼んでいる嘔吐。太陽が彷徨いながら丘の上に昇るまで、まるで世界の果てのような光景でした。地平線の端まで這うような空間は、夢の中にいる感覚にさせます。朝食で私たちが卵に穴を開けようとしていた時、女性が側で癲癇の発作に襲われ、自分の舌を飲み込み、カウボーイたちの頭の周りの虚空を引き裂き始めました。そこで私たちはすぐに助けようと、私のスプーンをくわえさせました（中略）彼女は人口30人程の小さな町に出て行き、土埃の中を彷徨っていました。片田舎はちょっとメキシコに似ているかもしれません（中略）あなた方がこちらに来られても良いように、万事準備できればと思っています（中略）私たちはオーストラリアの奥地まであなた方を連れ出さねばなりません。長い旅行になりますが（中略）、あなた方とご一緒したいものです。夜は焚き火を囲んで顔を合わせて座りましょう。ブーメランについて、承知しました。今週末、ご依頼のものを何の問題もなく入手できるはずです（中略）それははるか大昔の武器で、ヨーロッパでも旧石器時代に使われていたと思います。しかし、ここに住むアボリジニが地球上でそれを手にする最後の人たちであることに間違いはありません。これは全て、まるで新星のように、私の頭から出てきた意識の流れです。あなた方がこれを感覚的に捉えてくださればと願っています（中略）
飽くことを知らないパー家から愛を込めて

マイク・パー（1945ー）からマリーナ・アブラモヴィッチ、ウライへ
1978年7月24日

Ecc.mo & divino preceptor, mio M. Michelagniolo

P che di continuo io uitengo stampato inemia occhi & dentro almio cuore.
non mi essendo uenuta occasione di auergi affare qualche scriuino
penolle dare noia si e lacausa che molto tempo fa io nollo scritto.
ora uenendo M. giouanni da udine auromo & pesser si stato
certi pochi giorni a fare penitenzia i casa mia, mie parso ap
proposito di comfortarmi alquanto inello scriuere questi mia
parecchi uersi a V. S. ricordandole quanto io lamo. Como molto
mio marauiglioso piacere itesi alli passati giorni come pcer
to uoi ueniui a rimpatriaruui che tutta questa cita pur grade
mente lo desidera e maggior mente questo nostro gloriosissimo Duca
il quale si e tanto amatore delle mirabil uirtu uostre et e ugiubenig
nio et il piu cortese signiore che mai formassi et portassi laterra
che uenite hormai a finire questi uostri felici anni inella patria uostra
Cotanta pace e cotanta uostra gloria. sebene io ne o riceuto qual
che strauezza da il ditto mio signiore. lequali mi e parso diriceuere a
gra torto. pcerto cogniosco questo nonessere stato causa ne disua
ecc.tia Illma ne manto mia. e che questo sia il uero le dico pcerto che
mai nofu huomo isua patria piu cordialmente amato che sono io. et
il simile iquesta mirabilissima Corte e questo dispiacere che miuieme
senza causa tutto siuede lo essere potenzia di qualche malignia
stella alla qual potenzia io nocogniosco altro remedio che il rimeter
si tutto inel uero et imortale id Dio, il quale priego che Cotento uiciri
da qualche anno ancora. di firenze alli 14 di marzo 1559

sempre alli comadi di V. S. paratiss.mo

Benuenuto Cellini

Artist's Letter

ベンヴェヌート・チェッリーニがミケランジェロ（p.23）に手紙を書いた時、チェッリーニはフィレンツェの自宅に監禁され、4年間の男色の罪に服していた。チェッリーニは年老いたアーティストに、ローマから故郷の町に戻るよう促している。彼の熱心さの背後に横たわる動機は推測し難い。まるで彼が、ミケランジェロ以上に何か得るものがあるかのような勢いである。イタリアで最も有名なアーティストを帰郷させることができれば、彼の罪状が軽減されると目論んだのだろう。チェッリーニはなぜコジモ・デ・メディチ公爵を「この地上でこれまで見られた、最も慈悲深く思いやりを持った主」と記述する一方で、「これまで受けてきた不公平な扱い」の責任者と書くことができるのか、ミケランジェロは不思議に思ったに違いない。

自分がペンを取ったのは、ミケランジェロへの愛のためだとチェッリーニは主張するが、自分の過ちや評判へのこだわりが話の中心になると、そんなことは忘れ去っているように見える。チェッリーニは、頭の中に多くを詰め込んでいたので、強制的な監禁を利用して、自伝を口述していた。40年を超える金細工師、彫刻家としての高い業績、評判を博した数多くの絵画、権力と危機、女性、殺人…。自伝はイタリア文学の古典になった。

* 著者注

ベンヴェヌート・チェッリーニ（1500-1571）からミケランジェロ・ブオナローティへ
1560年3月14日

私の最も優れた神聖なるマスター、ミケランジェロ様

私はあなたを私の目と心に刻み続けます。私が最後に手紙を差し上げてから長い時間が経っているとしたら、それはひとえにあなたに奉仕する機会がなかったからです。またあなたに、無用なご迷惑をおかけしたくなかったためです。

アートの大家（マエストロ）のジョバンニ・ダ・ウーディネがローマへ行く途中に、私の家で数日間罪の償いを行いました。そこで今、この長い手紙を差しあげ、私があなたをどれだけ愛しているかを思い出して頂ければ、それは少なからず私自身の慰めになるように思います。私が過去に、あなたが生まれ故郷に戻ろうとしていると耳にしたことは、大変な驚きであり喜びでした。それはこの町全体が、とりわけてあなたの素晴らしい美徳の崇拝者であり、かつこれまでの世界で最も慈悲深く、思いやりを持った主である公爵ご自身が大いに望んでいるものです。こちらにおいでになり、幸福な余生を、ご自身の故郷で、大いなる平和と栄光に包まれてお過ごしください！ たとえ私がこの主である閣下から不公平な扱いを受けていたとしても、それは輝かしい閣下のせいでも、私のせいでもないと、確信しています。閣下の故郷にも、この最も見事な宮廷の中にも、私以上に心から愛される者はいなかったという真実を、あなたにしっかりとお伝えします。この理由のない腹立ちは、悪い星のせいでしかありません。その結末に対して私は治療法を知りません。真なる、不死の神の前に、私自身を完全に投げ出す以外には…。私はあなたがこれからも末長く幸せであられるよう、神に祈ります。

フィレンツェ、1559年3月14日（新暦では1560年）*のこの日に。いつでもあなたに従う準備ができております。ベンヴェヌート・チェッリーニ。

私よりもはるかに優れ、最高の尊敬に値する、最も優れたミケランジェロ・ブオナローティ様へ、ローマにて。

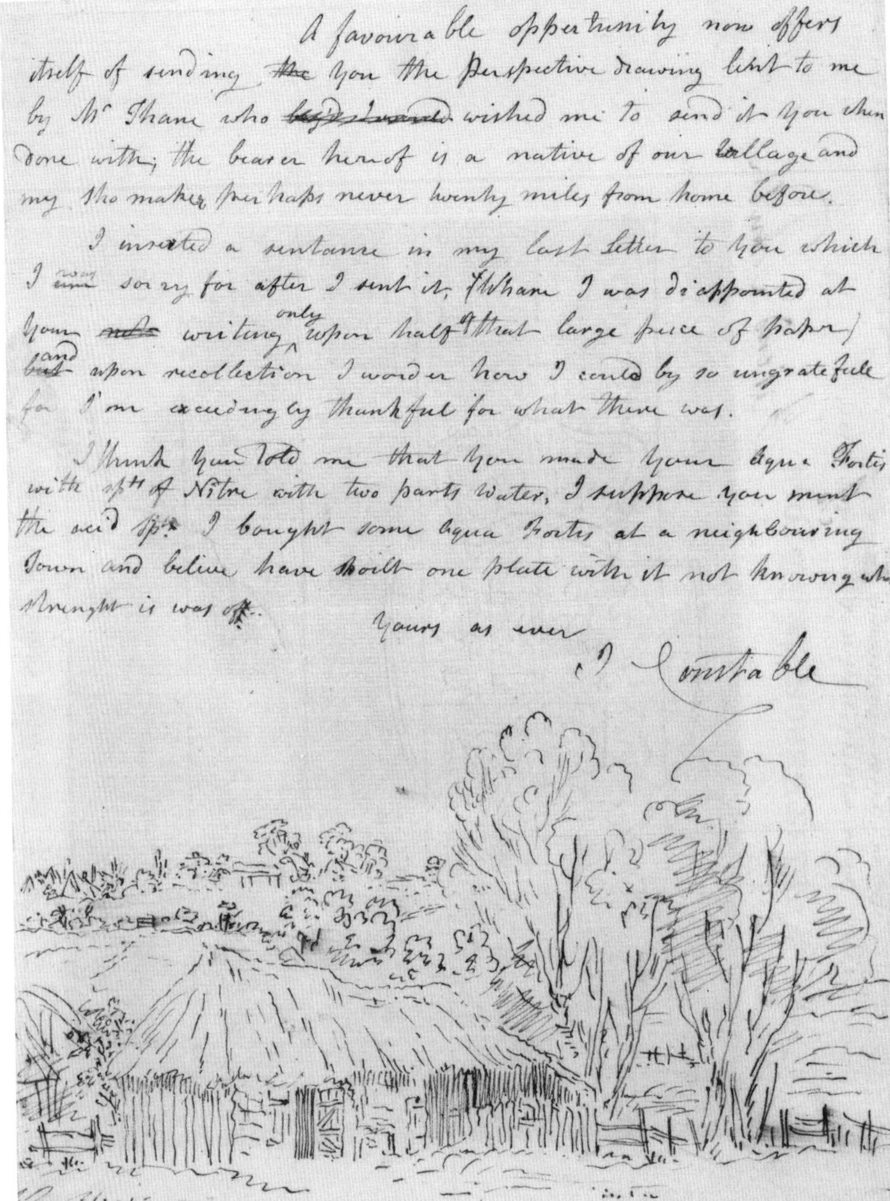

A favourable opportunity now offers
itself of sending ~~the~~ you the Perspective drawing lent to me
by Mr Thane who ~~begged I would~~ wished me to send it you when
done with; the bearer hereof is a native of our village and
my shoemaker perhaps never twenty miles from home before.

I inserted a sentance in my last letter to you which
I ~~am~~ was sorry for after I sent it, (When I was disappointed at
your ~~not~~ writing only upon half that large piece of paper)
~~but~~ and upon recollection I wonder how I could by so ungratefull
for I'm exceedingly thankful for what there was.

I think you told me that you made your Aqua Fortis
with Spt of Nitre with two parts water, I suppose you mean
the acid Spt. I bought some Aqua Fortis at a neighbouring
Town and belive have spoilt one plate with it not knowing what
strenght it was of.

Yours as ever

J Constable

View from my Window.

ジョン・コンスタブルは父の穀物・石炭業を引き継ぐ日のための実質的な準備として、出身地イースト・アングリアのストール川沿いで、風車で働いたり、海運業を学んだりしながら10代後半を過ごした。彼はアーティストになりたいと思っていたが、1797年にジョン・トマス・スミスに書き送ったように、「自分の性格は生涯を通して、自分を導いている道とは逆の道を歩む」ように運命付けられているのでは、と恐れていた。20歳のコンスタブルは、その前年、ロンドン近郊のエドモントンへ出張した際にスミスに出会っていた。スミスは歴史的建造物や地勢図を専門とする優れた熟練版画家で、1796年には絵のように美しいコテージや風景の銅版画の連作を制作し、それは『田舎の風景についての感想』として出版されることになる。コンスタブルの母親の心配に対してスミスは、アーティストになろうとする彼の志を応援し、成功したプロのアーティストとして、最初の教育を授けた。

イースト・バーホルトにある彼の両親の家から、コンスタブルはスミスに宛てた手紙を書き、そこに自分の部屋の窓からの眺めを描き入れた。スミスがそれを気に入ってくれることを確信している、と書いている。彼の納屋（離れ家）のスケッチは、木立や開けた空、人が調和し、子供の頃の家近くの場所を描いた《フラットフォードの水車》や《デダムの岩》などの、彼の偉大な成熟期の風景画を予期させる。スミスのエッチングのアドバイスに従う初心者として、彼は今、銅板を「腐食する」ために用いる硝酸の正確な濃度を学ぶ、という問題に直面しているようである。2年後、コンスタブルの弟アブラムが成長して家業経営を継いだ。彼は家業から解放されて、ロンドンでアートを学ぶことになった。

1802年、「自然に基づく勤勉な研究」をするためにイースト・バーホルトに戻った彼は、「自然絵画」という彼独自の表現を展開し始める。

ジョン・コンスタブル（1776-1837）から
ジョン・トマス・スミスへ
1797年1～3月

Artist's Letter

（前略）ターネ氏から貸して頂いた遠近法のドローイングをあなたに届ける良い機会が今、やって来ました。ターネ氏は用が済んだら、それをあなたに届けて欲しいと願っていました。運び屋は、私の靴屋に頼みました。私たちの村の生まれで、恐らく過去に、家から20マイルも離れたことがないと思います。

私はあなたへの最後の手紙に一文を書き入れましたが、送った後でそのことを後悔しました（「私は、あなたがその大きな紙の半分だけに書いていたことにがっかりしました」という箇所です）。思い返すたび、私はどうしてそんなに恩知らずになれたのか…と不思議に思います。というのも、私はこれまでのことをとても感謝していますから。

あなたは硝酸を、硝酸カリ液とその2倍の水で作ったと言ったように思います。私は、あなたは硝酸液のことを言ったのだと思っています。隣の町で硝酸を購入しましたが、それがどの位の濃度であるか知らずに、銅板1枚を駄目にしてしまいました。

敬具　J・コンスタブル
窓からの眺めを

CHAPTER3
GIFTS & GREETINGS

ギフトカードと見舞い状

Artists' Letters

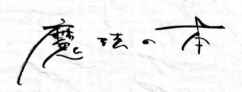

Your book on witchcraft

UNTITLED #216, 1990
PHOTOGRAPH BY CINDY SHERMAN

3/8/95

Dear Arthur,
    Thank you for your
sweet phone message
concerning my show.
I'm touched that you
took the time to call.
Your thoughts mean a lot
to me and I'm sorry for taking so long in
acknowledging that. I do hope to see you both
sometime soon. My best to you
            and Barbara, Cindy

Arthur Danto
420 R.S.D.
NYC 10025

ギフトカードと見舞い状

1995年1月14日、アメリカの写真家シンディ・シャーマンによる15点の写真展がマンハッタンのメトロ・ピクチャーズ・ギャラリーで開幕した。ワシントン、サンパウロ、ヴェネツィア・ビエンナーレで開催予定の展覧会で多忙な1年の年頭であった。彼女が葉書で、批評家兼哲学者アーサー・C・ダントーに書いているのは、比較的小規模のこの展覧会のことだろう。

　長年、ダントーはシャーマン作品の賞賛者であり、雑誌『ザ・ネイション』のアート評論家兼コロンビア大学の哲学教授として有力な支持者の1人でもある。1991年、ダントーは彼女のカタログ『シンディ・シャーマン：無題のフィルム・スティル』にテキストを書いた。彼女を有名にした写真シリーズを本にしたものだった。宣伝写真用にポーズするB級古典映画女優を真似て、シャーマンはひと目で誰と分かるドレスを纏い、メークアップをして、ポスト・モダニストの評論家たちを熱狂的に捉えた。様々な役を演じている彼女の写真（タイトルはほとんど《無題》）は伝統的・本質的な意味での自画像ではないが、自分自身を表現するために選ぶ方法こそが、己が誰であるかを規定すると語っているようである。ダントーの言葉に「人とは本質的に表象システムである」とあるように。「彼女が驚くべき可塑性を持っている」ことが彼を夢中にさせた。「路上では、あなたは彼女が誰とは認識できないだろう…私は彼女が誰かのポートレートを制作したのだとは思わない。全て想像上の創造物なのである。この状況やあの状況にいる頭文字「G」の少女。彼女は危険にさらされている、恋をしている、手紙を開封する…。ディレクターが与えるアイデンティティだけを表現する若手女優のように」。

　ごく最近ダントーは、『シンディ・シャーマン：ヒストリー・ポートレート』（1993）のためにテキストを提供した。彼女はルネサンスのアーティストの有名な絵画に基づきながら、紋切り型の女性をパロディ化した。1990年のメトロ・ピクチャーズでの《歴史シリーズ》による巨大カラー・プリントの展覧会は、ラファエロのラ・フォルナリーナやダ・ヴィンチのモナリザ、カラヴァッジョのバッカスを基にしたポートレートを含んでいた。《無題＃216》（1989）のために、彼女は15世紀のジャン・フーケのムラン・ディプティクの聖母の装いをし、幼いキリストに授乳するために豪華なガウンの胴着から片方の胸を持ち上げている（一説では、フーケはフランス王の愛人を基に、その人物画を描いたと言われている）。

　「アートは宗教的で神聖である、という態度にうんざりしている。私は文化から何かを真似し、今実際に私がやっているように、からかってみたいとも思っていた」とシャーマンは回想する。《無題＃216》では、彼女はとりすまして風船のようなプラスチックの胸を掴んでいる。ダントーへの葉書はパロディのマドンナではなく、本物のシャーマンからのものだと示すかのように、彼女はこの人工補綴物を切り取った。

Artist's Letter

親愛なるアーサー

　私のショーについての温かい電話メッセージをありがとうございました。あなたが電話をかける時間を割いてくださったことに感動しました。あなたのお考えは私にとって多くの意味を持っています。また、それを認めるのに、長い時間がかかり申し訳ありません。近いうちにお2人にお会いできたらと思います。バーバラにもよろしく。
シンディ

Cher Monsieur - Il me donne un plaisir prodigieux de vous presenter, s'il vous plait, thaumotrope « for their motion in art' shindig but would only offer to supply 3 guards to insure its safety. I did not feel this was adequate for such a treasure & so the world must still wait. The sender of this temoignage remains anon but sends you his love.

a l'image d'Apollinaire en travestie

when you twirl it fast enough he breaks into a slow, sad smile or the trace of one xxxx

quick enough to catch this phenomenon. The "Rorelse Ikonsten" people wanted this

ape the dolorous gesture but I have been

there are those who claim that they see a tiny bird of dazzling plumage pop out of the turban and

ジョゼフ・コーネル
（1903-1972）から
マルセル・デュシャンへ
1959-1968年

　ジョゼフ・コーネルは自らをアーティストではなく「デザイナー」と呼ぶことを好み、1930年代にはNYでテキスタイル・デザイナーとして働いた。彼がアメリカ美術の中にある位置を占めることができたのは、独自に考案し制作したアート・ボックス―ランダムだが、オブジェやイメージが詩的に関係し合うミニチュア・インスタレーションを入れた木製の箱―によるものだった。

　1931年、ジュリアン・レヴィ・ギャラリーのショー・ウィンドウを通り過ぎようとしていたコーネルは、シュルレアリスム・アートの展示に興味を惹かれた。彼は古い木箱や、おもちゃ、道具、書類、手紙といった雑多な品々など、目に止まるものを求めてジャンク・ショップを訪ね歩き、こうして最初の一連のアート・ワークスを組み立てた。1932年11月、レヴィ・ギャラリーは彼の個展を開いた。コーネルは自分でボックスを制作するために木工技術を学び、またシュルレアリスム映画を制作し始めた。サルバドール・ダリ(p.15)やマックス・エルンストなどの外国人アーティスト、更にドロテア・タンニングのような若いアメリカ人と共に、コーネルは大戦間にアメリカで開花したシュルレアリスムの主要人物とみなされた。しかし彼はそのように括られることを拒否し、自分にはエロティックなものやフロイトの無意識と共有するものはない、と主張した。

　手紙の4辺にフランス語と英語で隙間なくタイプされたマルセル・デュシャン(p.45)への手紙は、シュルレアリスム的ファンタジーの飛翔(p.47)ではなく、受取人に効果的にアピールするように工夫された、一風変わってはいるが理性を感じさせる「アイデア」の配列である。コーネルが「友情の象徴」として同封したソーマトロープは、ビクトリア朝のおもちゃをモデルにしている。表裏に違ったイメージが描かれた円盤には紐が通されており、それを巻き、引っ張る。円盤が回転すると、2つのイメージ―ある時は鳥と檻、この場合*1はフランスの詩人ギョーム・アポリネールの肖像とコイン擦り*2―がダイナミックな光学的イリュージョンに変化する。

　1959年、デュシャンはアート制作と同じくらい、あるいはそれ以上に彼を夢中にさせるものに没頭できるように、マーシャル・チェス・クラブに近い西10丁目に移った。コーネルの封筒は無料郵送の規則外だったので、贈り物はデュシャンには届かなかったかもしれない。その後デュシャンは、アートにおいて重要なのは常に「観念」だ、という主張で有名になった。

*1 訳者注：コーネルがデュシャンに送ったソーマトロープ
*2 訳者注：コインに紙を当て、鉛筆・クレヨンなどで擦る遊び
*3 訳者注：「Rörelse i konsten（＝アートにおける運動）」展の関係者

Artist's Letter

拝啓
　君が望むなら、喜んでアポリネールのパロディ・ポートレートのついたソーマトロープを送らせてもらう。できるだけ早く回転させれば、彼は鈍くて悲しげな笑み、あるいはキスの跡を浮かべる。「目もくらむような羽根を持った小さな鳥がターバンからポンと飛び出して、悲しみに沈んだ仕草をものまねするのを見た」と言う人たちもいるが、僕はこの現象をキャッチできるほど速く、回転できたためしがない。「ホレルス・イコンステン」*3の人たちは、この作品を彼らのダンスパーティ「アートにおける運動」のために欲しがったが、安全を確保するために監視人3名を配置する、としか言ってこなかった。僕は、これらのお宝に対してその対策は十分だとは思わない。従って、世にまだ出さない。この友情の証の送り主は匿名だが、君に彼の愛を届ける。
敬具

Chihuahua 94.
Mexico.

Dear Kurt

I want to tell you that I have just
come to the end of your very beautiful
book on Witchcraft & I would like to say
how very much delight your lucidity &
intelligence have given me. Naturally it
is very difficult to give a complete
opinion by letter & I am also far more
interested in what you have to say on the
subject than what I do! All through
the book I was most moved & touched
by the scrupulous honesty with which
you treated each subject & the great
rarity of someone writing on magic
without any attempt at mystification
which seems to be the vulgar habit—

I feel I would like to talk to
you & unfortunately this being

impossible I must content myself with
a very inadequate letter—

I am still imprisoned
in this foul & filthy place
I have 2 beautiful children, 2
dogs, 2 cats & a parrot, but I still
hate this place & suffer from the
enforced isolation being a commonly
sociable creature—

Please give my salute to
Juliette & again my admiration
& all possible good wishes for
yourself
yours

Leonora Carrington

1937年、ロンドンの美術学校で、レオノーラ・キャリントンはドイツ人アーティスト、マックス・エルンストと浮気した。彼女にシュルレアリスムを紹介したのはエルンストだった。キャリントンの両親がエルンストを逮捕させようとすると、2人はフランスに逃亡した。流浪、別居、精神衰弱がキャリントンを襲ったが、1940年代初頭には、メキシコの詩人で外交官のレナート・ルダックと結婚。また、彼女はメキシコのシュルレアリスト・グループの一員になっていた。サルバドール・ダリのNY滞在や、版画家クルト・セリグマン（p.29）ら、第2次世界大戦中のヨーロッパから亡命してきたアーティストたちの途切れることのない流れと共に、シュルレアリスムはアメリカで新しい時代を迎えつつあった。

フロイトの無意識と同じく、オカルトはシュルレアリスムのイメージのための主要な源泉だった。1939年にパリからNYに到着する以前から、セリグマンは《ブラック・マジック》や《魔女》のような超常的な幻想版画で知られていた。彼はまた、魔法や錬金術、手相占いに関する古書の大コレクションを所蔵していた。セリグマンはオカルトの独学専門家、著述家になったのである。

キャリントン自身のオカルトに対する興味は、彼女の1945年の夢の絵画《正反対の館》（ウェスト・ディーン大学、サセックス）でうかがい知ることができる。この頃、2番目の夫で写真家のチジ・ワイズ*1と、まだ幼い息子たちのガブリエルとパブロと一緒に「不潔で汚い」メキシコのチワワ*2に住んでいたキャリントンは、しばしばオカルトについてのアドバイスを求めてセリグマンの所に出かけた。彼女は1948年に出版された彼の本、『魔法の鏡』をどれだけ楽しんだかを書いている。

*1 訳者注：別名エメリオ・ヴァイズ。日本ではこの名前で紹介されることが多い
*2 訳者注：メキシコ、チワワ州の州都

Artist's Letter

チワワ州194、メキシコ
親愛なるクルト

たった今、あなたの美しい魔術の本を読み終えたことを、ご報告させてください。そしてあなたの洞察力と知性が私にどれほどの喜びを与えてくれたかを語らせてください。当然ながら、完璧な感想を手紙で述べるのはとても難しいことです。また、私は自分が何を言うべきか？ ということ以上に、あなたが主題について語ることに大きな関心を抱いております。私は本全体を読み終え、偏見から離れて誠実に各主題について述べておられること、世間の慣習に流されず、魔術を神秘化することなくものを書いておられること…あなたの類稀なる才能に感動いたしました。

あなたとお話をしたいのですが、残念ながら叶いませんので、私はこのような舌足らずの手紙で満足しなければなりません。

私は今なお、この不潔で汚い場所に監禁されています。私には2人の可愛い子供、4匹の犬、2匹の猫、1羽のオウムがいます。しかしそれでも私はこの場所が嫌で、世間からの隔離を強いられ苦しんでいます。ごく普通の、社交好きな人間ですのに。

私のアーレットへよろしく。また改めて賞賛を。ご幸福をお祈りいたします。

敬具　レオノーラ・キャリントン

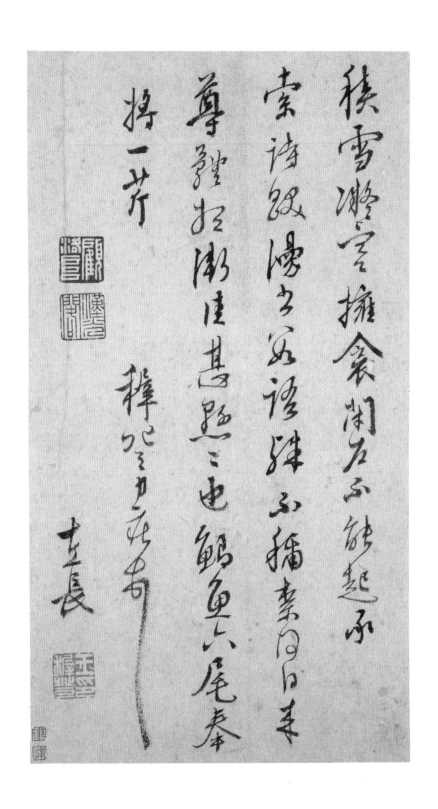

積雪漫空擁衾閑臥不能起承

寄詩叙陽安妥諧不播妻子百并

尊體起措渺佳甚然三也鯉魚六尾奉

將一芹 稚恭之初疏齋奇

士長

中国文化においては、書もしくは書法は「三絶」の1つに数えられている。絵画や詩と対等であり、画家や詩人のアート作品にとって欠かすことのできないアート形式である。文字は縦列に、右から左へと筆で書かれている。王志登は10歳で既に、書と詩の双方に秀でた神童だったと言われている。彼は古くから栄えた都市、江蘇省の蘇州に住んでいた。蘇州はその繊維産業によって、中国において最も豊かな都市の1つになった。蘇州は文化の中心地でもあったので、王は彼より前の世代の、偉大な画家・書家や詩人・書家たちの作品コレクションに近付くことができた。明朝（1368-1644年）中期、蘇州の学者たちは書家たちの間で最も尊敬されていた。王志登がその書の基礎としたのは、当時「四大家」の1人とみなされ、大きな影響力を持っていた文徴明の書である。1559年に文徴明が死去すると、王が蘇州の指導的な詩人・書家になった。

王志登の最も有名な作品のいくつかは巻物の口絵で、例えば1610年に撫遠の仏教僧院に募金するために制作された随筆集はその1つである。王志登によるそのエッセイの最後には、蘇州近くにある湖の中の島に立つ建物は老朽化し「棘のある藪が生い茂っている」とあり、次のように続く。「古い撫遠僧院を復興させることができれば」、「春の韻と松の影が僧院の門に満ち溢れるだろう」。魚を贈るため、友人に宛てて書いたくだけた見舞い状は、「縦長で僅かに萎縮した」文字で書かれている。鑑定家は王志登が持つ強さやリズミカルな大胆さを欠いていると記してきた。しかし、雪の日に、凍りつくような家の中で横になった彼は、その手紙の中で説明しているように一単に、あまりにも寒過ぎて気分が優れず、最善を尽くすことができなかったのかもしれない。

Artist's Letter

深い雪に囲まれ　凍るような家の中
毛布に身を包み　窓をしっかり閉めていると　起きることすらできない。
詩や散文を作るために文字を書こうとするが　全く手が動かない。
あなたが日々良くなっていることを心から願っています。
あなたに鯉6匹を贈ります。
心からご健勝を。王志登

June 26, 1994

Dear Don;

How are you and your family? This is to let you know that You'll be receiving my sculpture work as a gift in a short while. This work was exhibited in Philadelphia Civic Center Museum for "American Woman Artists Show" sponsored by the group called "FOCUS", there during April 21 ~ May 26.

I'll be in New York before long, and I'm looking forward to seeing you and your family then.

Best regards,

Yayoi

草間彌生が1958年にNYに移住した時には、既に日本で何度か展覧会を開き、自ら《無限の網》と名付けた一連の巨大な抽象絵画を制作し始めていた。彼女は子供の頃から、自分の視野全体が点やパターンで埋め尽くされるという幻覚があった。彼女の新しい「網」の絵―そのうちのいくつかは横幅40フィート*にも及ぶ―は、無数の小さな点によって構築されている。彼女の幻覚が引き起こすパニックを抑制し、封じ込めるために彼女が考えた戦略の1つだった。彼女はまるで強迫されているかのように制作し、しばしば夜を徹した。1959年10月にブラタ・ギャラリーで行われた、彼女のNYでの初個展は、美術学生から"報酬目当ての"評論家に転向したばかりのドナルド・ジャッドによってレビューされた。彼は「草間の作品はニューマン、ロスコ、そして彼らより上の年輩の人たちを除いて最高の絵画で、色々な意味で新しい」と評し、200ドルで1点を購入した。草間にとってジャッドは「NYのアート界における最初の親友」になった。ジャッドは彼女の米国居住申請に力を貸し、1960年代初頭にはマンハッタンのダウンタウンの同じビルに住んだこともあった。

　ジャッドは自分の絵画を発表し始め、1962年には彫刻のために「生煮えの抽象」を捨て去り、板金と材木を使って、自ら「明確な物体」と呼ぶものを構築した。表現したり、暗示したり、象徴したりすることよりも、単に存在することだけを意図するオブジェである。「ジャッドは画材を買うためのお金がなかった。そこで彼は近くの建設現場に行き、そこいらに転がっている材木を集めて家に持ち帰ることになる」、と草間は回想する。彼女は窓から見ていて、警察が現れると合図した。「その後、ジャッドは突然"ミニマリズムの先駆者兼リーダー"として、私たちの目の前で有名になった」とも言っている。同じ頃、卵ケースなどの大量生産による粗末な材料を使って制作された草間のコラージュと彫刻が、アメリカのポップ・アーティストたちに影響を及ぼしていった。彼女は「ハプニング」を行ったり、1960年代後半の緊張した政治状況の中で、ヌードでベトナム戦争に対する抗議活動を繰り返したりした。その頃、彼女の健康状態は次第に悪化し始め、1973年に短期間の療養のため日本に帰国した。しかし「それ以上には良くならない」ために日本逗留を決心した。

　1974年6月、東京の彼女はNYのジャッド宛てに航空便を送った。彼女は最近、フィラデルフィアでの女性アート・フェスティバルに出品したことや、問題になっている彫刻―草間の特徴であるドット（点）で注意深く穴を穿たれた、赤いコイルが蛇のように絡み合う陶額―をギフトとして送ることに触れている。

* 訳者注：約12メートル

Artist's Letter

親愛なるドン

　あなたとご家族はいかがでしょうか？ 近いうちに、あなたは私の彫刻作品をギフトとしてお受け取りになることと思います。これは、そのお知らせです。この作品は、4月29日から5月26日にかけて、フィラデルフィア・シビック・センター・ミュージアムで開かれた「アメリカン・ウーマン・アーティスト・ショー」で展示されました。現地の「フォーカス」というグループの主催でした。

　私はそう遠くないうちにNYに戻るでしょう。あなたとご家族に会えるのを楽しみにしています。

敬具　彌生

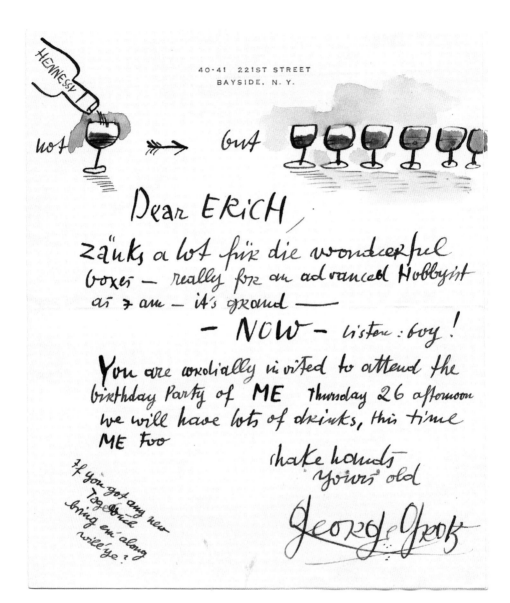

40-41 221ST STREET
BAYSIDE, N. Y.

HENNESSY

hot ⟶ but

Dear ERICH,

zänks a lot für die wonderful
boxes — really for an advanced Hobbyist
as I am — it's grand —

— NOW — listen : boy !

You are cordially invited to attend the
birthday party of ME Thursday 26 afternoon
we will have lots of drinks, this time
ME too

shake hands
yours old

George Grosz

If you got any new
Togebrück
bring em' along
will'ye ?

ギフトカードと見舞い状

ジョージ・グロスは1945年7月、友人のエーリヒ・S・ハーマンを自分の52歳の誕生日パーティーに招待し、あたかもグロスが禁酒期間の終わりを祝うかのように「大量のドリンク、今回は自分も」と約束する。手紙の中で彼がハーマンに感謝しているその「ボックス」には、シガレットか葉巻が入っていたのかもしれない—別の手紙でグロスは、友人がロンドン旅行で彼のお気に入りのイギリスのパイプ煙草を買って来てくれることを期待している。

グロスのイギリス贔屓、イギリス趣味は、ドイツ時代にまで遡る。当時彼は第1次世界大戦中を生きる若手アーティストだった。その時、彼は反イギリス宣伝に抗議して、名前をゲオルクからジョージに変えた。彼は、その風刺的なペンとインクによるドローイングや絵画で、ドイツの軍隊やブルジョアジー、偏見や愚かな従順、社会的な気取りからできあがったあらゆる人間のばけの皮を剥ぎ、ウィリアム・ホガースが18世紀イギリスにおいて持っていたような道徳に衝撃を与えるアートを目指した。彼は「無情、残忍、苦痛を与える明晰さ」を志向したのである。1918年、彼は、ベルリン・ダダ（**p.69**）のグループに参加した。そのメンバーたちはさまざまなやり方で、コラージュやフォトモンタージュなど「視覚的にはバラバラに見える」アート形式を「この時代における、一千にものぼる諸問題」に焦点を当てるための手段として探求していた。

1932年、グロスは、アート・スチューデント・リーグの教授に招かれ、NYに旅行した。急進的なアーティスト、また共産主義者として母国に戻ると、彼はナチズムの台頭に身がすくみ、個人的にも脅かされた。1933年に宰相に指名されたアドルフ・ヒトラーが独裁権力を掌握することが決定的になったことが分かると、グロスはアメリカ合衆国に移住した。長い間夢見ていた自由な社会に落ち着くと、グロスは「苦痛を与える明晰さ」を目指した風刺への衝動を失くした。しかし、彼の作品は尊重され、収集された。グロスは、最終的に1959年5月、故郷のベルリンに戻って落ち着いたが、明らかに「大量のドリンク」の後、階段から落ちて受けた怪我が原因となり、その数週間後に落命した。

ジョージ・グロス（1893-1959）から
エーリヒ・S・ハーマンへ
1945年7月

Artist's Letter

40-41番地、221丁目、ベイサイド、NY
親愛なるエーリヒ

素晴らしいボックスをありがとう。私と同じ、進歩的な趣味の熱中者へ。とても素晴らしい。さあ聞いてくれ、仲間よ！

木曜日26日の午後、僕の誕生日パーティーに出席してくれるよう、君を心から招待したい。大量のドリンクを飲もう、今度は僕もね。

握手を。昔馴染みから、ジョージ・グロス。

新しい日記があれば、一緒に持って来て欲しい、可能だろうか？

Happy
Xmas
from
J+Y.

Lennon

Joseph Cornell.

~~Flushing.~~

3708 Utopia Pkwy
Flushing, N.Y.

NEW YORK
DEC 23 '71
N.Y.

U.S. POSTAGE
≈ .06

METER
PB.832542

Happy Xmas (war is over), Love, John & Yoko.

John Lennon
Yoko Ono

ギフトカードと見舞い状

JOHN LENNON
DEC
1971
YOKO ONO

オノ・ヨーコ（1933–）、ジョン・レノン（1940–1980）から
ジョゼフ・コーネルへ
1971年12月23日

　1966年9月、日系アメリカ人アーティストのオノ・ヨーコは「破壊のアート・シンポジウム：あらゆる信条を持つ、過激な実験的アーティストたちの会合」に参加するためロンドンに到着し、滞在を決めた。数週間後、インディカ・ギャラリーで開催された展覧会〈未完成の絵画とオブジェ〉で、彼女はイギリスのロック・スター、ジョン・レノンと出会った。ヨーコもパフォーマンス・アート、ハプニング、前衛音楽界のスターだった。彼女がステージに仏陀のように座り、観客が次々に彼女の服を切り落としていく《カット・ピース》は、1964年に京都で初演された。これは1960年代の実験的なアート・シーンに登場した古典とも言うべき作品になっていた。1968年にヨーコとレノンは交際を始め、長期にわたる創造的コラボレーションを開始した。彼らの名声と才能を結合させた音楽、パフォーマンス、そして反ベトナム戦争の抗議行動は大衆の想像力を掴み取り、世界的な舞台を獲得した。2人は1969年3月に結婚した。平和のための彼らの最初のベッド・インは、彼らのハネムーンの場所、アムステルダムのヒルトン・ホテルで行われた。1968年にヨーロッパとアメリカの大学に瞬時に広がった学生の座り込み抗議運動を、セレブである2人が一変形として行って見せた。1969年9月、レノンがビートルズを去った後、2人はバークシャーのカントリー・マンション、ティッテンハースト・パークに2年間住み、そこで2人のプラスティック・オノ・バンドを結成してアルバムを録音したり、反戦活動を続けたりした。1969年12月、彼らは12の国際都市でビルボード・キャンペーンを組織し、巨大文字による「戦争は終わった！ 君たちが望むなら—ジョンとヨーコからのハッピー・クリスマス」というメッセージ・ポスターを登場させた。1971年秋に2人がNYに移る前、レノンが録音した最後のアルバム"イマジン"のジャケットは、二重露光を使った、夢を見ているようなレノンの顔に雲が流れている。これはヨーコが制作した有名なカバー・イメージである。

　報道機関が彼らの抗議を真摯に受け止めていないことを確信したレノンは、彼らの政治的メッセージを大衆に伝える効果的な方法は「ちょっと蜂蜜を塗ること」だと決意した。ヨーコと共に書き、1971年12月にリリースした1枚のシングル"ハッピー・クリスマス（戦争は終わった）"は、クリスマスのスタンダードになった。2人が署名したジョゼフ・コーネル（p.87）への「戦争は終わった」ことを告げるクリスマス・カードは、自由の女神にブラック・パワーの握りこぶし*を上げさせることで、抗議活動に公民権的な側面を付け加えている。コーネルは前衛サークルの中では孤独好きだったが、ヨーコとレノンとは不思議なほど親しかった。NYでのプレ-レノン時代からのヨーコを知っていたのだろう。2人がクイーンズ郊外のユートピア・パークウェイにあるコーネル宅を訪問した時の様子を、彼は回想している。ヨーコはシースルーのドレスを着ていたこと。そして、コーネルは彼女が彼の頬にキスすることを条件に、2人に10点のコラージュ作品を売ることに同意した、ということなどを。

＊訳者注：アメリカ公民権運動において、黒人たちは拳を高く掲げて差別に抗議した

Artists' Letter

ハッピー・クリスマス、J + Yから
ジョゼフ・コーネルへ
3708、ユートピア・パークウェイ、
フラッシング、N.Y.

JOAN MIRÓ
"SONABRINES"
CALAMAYOR
PALMA MALLORCA

26/VIII 63.

Cher ami, merci beaucoup,
pour le livre qui vous à été consacré
et que j'ai reçu par l'intermédiaire de
monsieur gili, de Barcelone.

Je l'ai regardé avec un très grand
plaisir, vous savez l'admiration que j'ai
pour votre oeuvre.

Avec tous mes hommages à Mrs
Breuer, je vous envoie mes meilleures
et sincères salutations,

Miró.

MARCEL BREUER
& ASSOCIATES

AUG 28 1963

BREUER	
BECKHARD	
EMSILE	
GATJE	
SMITH	
FILE NO.	

ジョアン・ミロ（1893-1983）から
マルセル・ブロイヤーへ
1963年8月26日

アーティストから建築家へのちょっとした礼状。マルセル・ブロイヤー（p.177）はジョアン・ミロに、1962年にNYで出版された彼の建築に関する本、おそらく『マルセル・ブロイヤーの建物とプロジェクト1921-1961』を送った。ブロイヤーは共通の友人でバルセロナに拠点を置くホアキン・ギリに、彼の贈り物をミロに送ってくれるよう依頼している。カタロニア人ミロは、ハンガリー生まれでドイツ語を話すブロイヤーに向けてフランス語で書いている。ミロはその本を読んだとは言わずに「楽しく見た」と言っている（彼の英語は流暢には程遠かった）。恐らくその本が、ミロ自身が5〜6年前に関わったパリのユネスコ本部のビルを評価していない—もしくは、全くコメントしていない、からであろう。

ミロは、1957年、ユネスコが本部ビルのために絵画制作を依頼した11人のアーティストのうちの1人だった。ミロはセラミックによる2点の大壁画《太陽の壁》と《月の壁》をデザインし、そして彼の長年の共同制作者でセラミック作家のアルティガスが、それを組み立てた。ミロはブロイヤーに「私があなたの作品をどれほど賞賛しているか、あなたは知っています」と語ってはいるが、神秘的な生き生きした記号や夢のような形、ミロ特有のフリーハンドの曲線や線の交差から成る色彩豊かな壁画は、ブロイヤーの妥協を知らぬモダニズムの幾何学的表現形式や、灰色のコンクリート建築に対抗する「解毒剤」を意味するものだった。

Artist's Letter

ジョアン・ミロ、
「ソン・アブリン」、カラマホール*
パルマ、マヨルカ

親愛なる友人、あなたについてのご本をありがとうございました。バルセロナのギリ氏から私に届けられました。

私は大変楽しく見させて頂きました、私があなたの仕事をどれほど賞賛しているか、あなたはご存知ですね。あなたのご多幸をお祈りいたします。

ブロイヤー夫人にもよろしくお伝えください。
ミロ

* 訳者注：マヨルカ島のミロ美術館がある
　地名

CHAPTER4
PATRONS & SUPPORTERS

パトロンと支援者たち

Artists' Letters

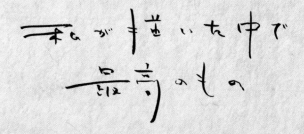

The best I have painted

パトロンと支援者たち

グエルチーノ（1591-1666）、
パオロ・アントニオ・バルビエリ（1603-1649）から
不詳の人へ
1636年

ギリシャ神話では、コリントのずる賢い王シーシュポス（シジフォス）が冥界に到着すると、彼は巨大な石を丘の上に運ぶように命じられる。しかし彼が山頂にたどり着くや否や、岩は転がり落ち、シーシュポスは果てしない労苦を強いられた。1636年頃、ボロネーゼの画家ジョバンニ・フランチェスコ・バルビエーリ（グエルチーノ「斜視の人」として知られる）は、シーシュポスの絵を数多く描いた。中年の男の肉体が信じがたい重さと闘っている姿である。ある絵では、シーシュポスは背に丸い石を背負い、またある絵では、昇り坂で運び上げている。手紙の裏にスケッチされたものでは、岩を胸に抱きかかえている。グエルチーノはジローラモ・ラヌッツィ伯爵から依頼されたシーシュポスの絵（現存せず）の準備をしていたのかもしれない。彼はその後、《天球を支えるアトラス》（バルディーニ博物館、フィレンツェ）でこのテーマに戻った。

グエルチーノはある手紙の裏面を再利用してシーシュポスを描いている（彼の場合、新しい紙が不足することはめったになかったが）。その手紙の草稿は、彼の弟パオロ・アントニオが、あるパトロンに宛てて書いたものである。パオロもアーティストだったが、静物画のような大人しいテーマに専念し、グエルチーノがそれに人物を加えることが時々あった。パオロはグエルチーノの絵画《ダビデの憤りをなだめるアビゲイル》（現存せず）に触れ、何らかの誤解を解くために、兄のために仲裁に入っているように見える。しかし草稿はあまりにも断片的で、頑なプロ意識と服従との間で正常な精神状態を保とうとするアーティストの、"お馴染みでありがちな印象"しか与えない。

Artists' Letter

（前略）閣下のご兄弟に申し上げ（中略）彼は私に、それを気に入ったと言ってくださいました。そして私はあなたにお仕えするために、兄に手直しを申し出るつもりでおります。アビゲイルの絵画が、最もご高名なアントニオ（バルベリーニ）枢機卿のみならず、他の人にも満足して頂けたことは非常に幸福でしたが、私の兄弟は（中略）閣下に送った書簡の返事として、アントニオ枢機卿並びにスパーダ枢機卿からいくつかのアドバイスを頂戴しました。残念ながら、私の技量ではご提案できるものを持ち合わせておりませんでした。私は喜んで閣下に作品をお送りしたく思っておりますので、兄はあなたの嗜好に合う、最高のものを作ることになるでしょう。しかしご存知のとおり（中略）仕事をする上で（中略）支障になるものは何もございません（中略）兄のドローイングに関して、彼は手紙の中でご要望に応えることをお約束いたしました。私は必ずや、兄がそれを忘れないようにいたします（中略）全力をあげてあなたにお仕えしたいと思っておりますので、お届けできるよう準備をいたします。内密の話ですが、閣下に、私の兄は昨日からひどい病気だったことを（中略）最初の手紙であなたが仰せられた言葉、それは急いで書かれており、さらに（中略）あなたはご公務中に話されています（中略）命じたこと全てにおいて、人々に常に仕えられて来た閣下からのお言葉を、人は（中略）期待すべきではありません。しかし、私はできることは全て和らげるようにしたいと思っています（中略）そして閣下に対する忠誠心を持って終わりといたします（中略）しかしながら私は可能な限り、和らげるよう手伝いました。兄はその表現がその言葉に対応していたかどうか（中略）見ること（中略）であると答えました。あなたにキスを（後略）

I have come to the conclusion that the "art world" has to
join us, women artists, not we join it. When women take
leadership and gain just rewards and recognition, then perhaps,
"we" (women and men) can all work together in art world actions.
Until the radical rights of women to determine such actions
is won, all we can expect is tokenism.

When men follow feminist leadership to the extent that women
have followed male leadership, then sexism is on its way out.
Also, until we see women getting from 40 to 60% of the finan-
cial rewards, museum and gallery exhibitions, college jobs,
etc., etc., etc., it is still tokenism. When women artists
attain this, then we'll know the sexist system is over.

Hopefully women artists will not be satisfied with parity, but
will continue to search for alternatives. Women's goals must
be more than parity. The established patterns in the art world
have proven frustrating and mostly non-rewarding to women a
artists since the ideal feminist stance of alternate structures
is contradicted by the status quo. But such an ideal of non-
elitist milieus will only prove itself over a long period.
While we claim the right to search for alternatives, we don't
intend to let the rewards of the system remain largely in male
hands.

Women artists have only recently emerged from the underground
(the real underground, not the slick storied underground of
the 60's) waging concerted political actions. Our future is
to maintain this political action and energy.

                                        Nancy Spero
                                        New York, Feb. 1976

パトロンと支援者たち

1970年代、アメリカのアーティスト、ナンシー・スペロと評論家ルーシー・リパードは、アート界における男性優位に疑問を投げかけ、それに反対する女性運動に積極的に参加していた（当時、注目を集める展覧会はそのほとんどが、男性アーティストの作品に独占されていた）。スペロは彼女のキャリアを画家としてスタートさせ、NYのギャラリーで作品を発表していたが、1960年代半ばに、もっと一過的なメディア、それも政治的で非商業的なアート形式に転向した。1974年以降、女性たちの経験が彼女の全作品の中心テーマになった。彼女は歴史物語、文学、ビジュアル・カルチャー、神話から幅広く材料を集め、それらのドローイングや版画、一過的なコラージュをスクロール形式のパノラマに仕立てた。1976年の初頭、彼女がリパードに手紙を書いた時、彼女は《女性拷問》に取り組んでいた。それは一連の女性拷問の犠牲者たちの生の報告で、その残酷な文章には神秘的で疑似神話的な女性の姿が添えられていた。

リパードは過去6年間、女性アーティストだけを対象とする前例のない一連の展覧会のキュレーションを行っていた。彼女はまた、彫刻家エヴァ・ヘス（p.117）についての本を書いたところだった。エヴァは、1970年のその早い死の後、フェミニスト・アートにとって重要な人物となった。熱を帯びつつも公的な語調を保つスペロの手紙は声明や宣言のようにも読める（フェミニストをテーマにしたジュディ・シカゴからリパード宛の手紙は、もっと個人的である：p.133）。「女性の急進的な権利」キャンペーン中のスペロは、1900年代の婦人参政権論者の政治的修辞学の影響を受け継いでいる。彼女の「形ばかりの人種差別撤廃」の拒否と、「代替手段の模索」が「同等」よりも重要であるという主張は、今日にも生き続けている議論である。

ナンシー・スペロ（1926-2009）から ルーシー・リパードへ 1976年2月

Artist's Letter

「アート界」が私たち女性アーティストに合流しなければならない、私たちが合流するのではない、という結論に至りました。女性が主導権を握り、まさに報酬や承認を得たりする時、「私たち」（女性と男性）はアート界において一緒に仕事をすることができるでしょう。そうした行動を規定する女性の根本的な権利を勝ち取るまで、私たちが期待できるのは"名ばかりの差別撤廃"です。

女性が男性の指導権に従って来た範囲で、男性がフェミニストに従って初めて、性差別は無くなり始めます。また美術館、ギャラリー展、大学の仕事などにおいて、女性が経済的な報酬の40〜60%を手に入れるのを見届けるまで、それは依然として「名ばかりの差別撤廃」です。女性アーティストたちがこれを実現する時、性差別制度が終わったことを実感できるでしょう。

女性アーティストが同等で満足せず、代替案を探し続けることを願っています。私たちの目標は同等以上のものであるべきです。アート界で確立されている方向は、アーティストとしての女性にとっては期待はずれで、ほとんど意味がないことが証明されています。何故なら、理想的なフェミニスト的立場は現状と矛盾しているからです。しかし、そのような理想的な非エリート主義的環境は、長い時間をかけてしか証明されません。私たちは代替案を探す権利を主張していますが、そのシステムによる報酬を気前よく男性の手に渡すつもりはありません。

女性アーティストは、ごく最近になって地下（60年代のしゃれた地階ではなく、本当の地下）から現れたばかりで、協力し合って政治的な行動を起こしています。私たちの未来は、この政治的行動とエネルギーを維持することなのです。
ナンシー・スペロ。NY、1976年2月

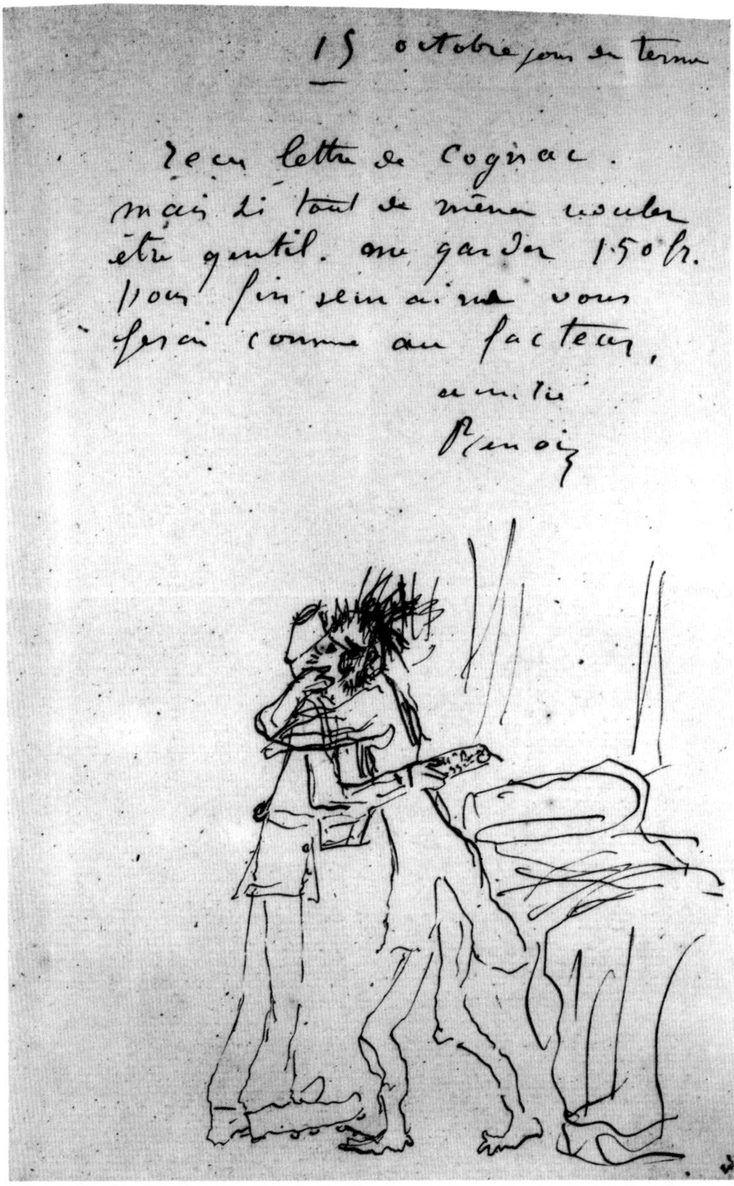

ピエール＝オーギュスト・ルノワール（1841−1919）から
ジョルジュ・シャルパンティエへ

1875−1877年頃10月15日

1875年3月、ピエール・オーギュスト・ルノワールとクロード・モネを含む画家たちのグループが、パリのオテル・ドゥルーで彼らの作品のオークションを企画した。前年、彼らは第1回印象派展で一緒に作品を展示した。それは注目を集めたものの、絵の値段は未だ非常に安かった。ルノワールは20点の絵画をそれぞれ平均112フランで売却したが、これは評価を得たアーティストが期待してよい額の5％にも満たないものだった。出版業者のジョルジュ・シャルパンティエはそのうちの3点を購入した。その後、5年が経った時、彼はルノワールの最も有力なパトロンになっていた。

シャルパンティエは家族の肖像画を依頼すると共に、彼が定期的に金曜日に催すサロンにルノワールを招いた。ゲストにはギュスターヴ・フローベールやエミール・ゾラのような小説家がいて、シャルパンティエはルノワールにゾラの『居酒屋』の挿絵を依頼した。更に、ルノワールが公的注文を期待していた有力なリベラル政治家も招待されていた。ルノワールは、《ムーラン・ド・ラ・ガレットのボール》（オルセー美術館、パリ）や《じょうろを持つ少女》（ナショナル・ギャラリー・オブ・アート、ワシントン）などを含む、彼の最も愛されている絵画をいくつか生み出していたが、経済問題は続いていた。シャルパンティエと彼の妻へ宛てた、家賃（月額400フラン）と生活費の援助を求める走り書きがたくさんある。この短信では、ルノワールはお金を配達する郵便配達夫を抱きしめている。

シャルパンティエの支援は、印象派のアーティストたちからルノワールを遠ざけるという効果をもたらし、ルノワールは彼らと一緒に作品を展示することを中止した。1878年10月、家族肖像画の大作《シャルパンティエ夫人と子供たち》（メトロポリタン美術館、NY）を完成させ、マルグリット・シャルパンティエ夫人はこの作品を、公的サロンに出品して見てもらうことを決心した。「シャルパンティエ一家がルノワールを後押しした」と、カミーユ・ピサロは語っている。肖像画は正式に受けつけられ、「シャルパンティエ夫人は、それが良い場所に展示されることを望んだ」と、ルノワールは後に回想している。そして「シャルパンティエ夫人は審査員たちと顔見知りで、彼らに積極的に働きかけた」とも。ルノワールはその絵画に1ヶ月を費やし、1,500フランの報酬を得た。もはや郵便配達夫を待つこともないだろう。

Artist's Letter

コニャックから手紙を受け取りました。しかしたとえそうでも、あなたが進んで親切にしてくださるなら、今週の終わりまで、私のために150フランを取っておいてください。私は、郵便配達夫に対してするのと同じようにあなたを抱きしめるでしょう。

敬具　ルノワール

4/5/63

Dear Ellen,

I finally finished the two works you photographed at my Broad St. studio. The original cartoons are enclosed here along with some photos of earlier work. I don't seem to have black & white 1 photos of anything from 1951 to my recent work. I hope these are of help.

Come see us when you're in this area. Isabel sends regards.

Ray

P.S. Ileana will take the "I know how you must feel, Brad" & someone has "My Heart is always with Zoy probably has photos of the finish

ALTHOUGH HE HOLDS HIS BRUSH AND PALETTE IN HIS HANDS, I KNOW HIS HEART IS ALWAYS WITH ME!

（印）
ROY LICHTENSTEIN
APR
1963

1963年初頭にロイ・リキテンスタインのスタジオを訪ねた時、美術史家のエレン・フルダ・ジョンソンは制作中の2点の作品に興味を持った。それらは最終的に、大型絵画《私はあなたがどう感じなければならないか知っている、ブラッド》（ルードヴィヒ・フォーラム・フュア・インターナショナル・クンスト、アーヘン）とシルクスクリーン《ピアノの少女》へと発展していった。リキテンスタインは、恋愛漫画の少女のコマを切り取ってこの手紙に同封しているが、2つの作品はこのアメリカの2つの少女像に基づいていた。漫画を基に、カラー印刷の「ベンデイ・ドット」を、油絵の具またはアクリル絵の具で再現する独自の絵画手法を始めてからわずか2〜3年だったが、リキテンスタインはすでに、アメリカン・ポップアートのスターだった。1962年2月のレオ・カステリ画廊での初個展では、オープン前に作品が完売した。

リキテンスタインの手紙は簡潔であるが、アート界の付き合いの複雑なネットワークを示している。ジョンソンはオーバーリン大学の講師を務めるセザンヌ、ピカソの専門学者で、この大学のアメリカ現代美術の作品購入や展示に関する助言も行っていた。ジョンソンがリキテンスタインのスタジオで撮った写真が「ポップアートに歴史的な系統性を与えようとする、彼女の努力に貢献するだろう」とリキテンスタインは推測した。基となった漫画はディーラーよりむしろ美術史家にアピールするものだった。1966年、ジョンソンはリキテンスタインに関する論文を発表した。その中で彼女は《私はあなたがどう感じなければならないか知っている、ブラッド》を、1851年にアングルが描いた威厳に満ちたモワテシエ夫人の肖像画（ナショナル・ギャラリー、ワシントン）に匹敵する「力強く、堂々とした絵画」と評した。またリキテンスタインの、ポップ・カルチャーからの影響や色彩分割に対する技法的関心に注目し、「彼の作品はスーラの絵画がシェレのポスターから隔たっているのと同じくらい、基の漫画とは別物になっている」として、リキテンスタインをフランスの点描主義者の後裔とみなした。

1962年秋、カステリの元妻であるルーマニア系アメリカ人のアート・ディーラー、イレアナ・ソナベンドはパリに画廊をオープンし、カステリが取り扱うアーティストたちの、ヨーロッパ市場への窓口として機能した。1963年5月の複数のアーティストたちによる状況展〈アメリカのポップアート〉に続いて、6月にはリキテンスタインの別の個展が開催され、そこには《私はあなたがどう感じなければならないか知っている、ブラッド》が含まれていた。この作品はジョンソンが直感しその誕生を助けたように、1960年代のアメリカン・ポップの中の、最もよく知られ、最も広く複製された作品の1つとなった。

Artist's Letter

親愛なるエレン

あなたが私のブロード・ストリートで撮影した2つの作品は、ついに完成しました。作品のもっと早い制作段階の写真とともに、オリジナルの漫画をここに同封します。私は1951年から最近作までを撮影したモノクロ写真は持っていますので、これらがお役に立てばと思います。近くにお越しの際は、ぜひお訪ねください。イソベルがよろしくと言っています。
ロイ
追伸、イレアナは《私はあなたがどう感じなければならないか知っている、ブラッド》を撮影すると思います。また、カンザス・シティの誰かが《私の心はいつもあなたと一緒です》を持っています。恐らく、レオが完成作品の写真を持っています。

Monsieur

Voyez la Peinture de S. Laurens en escurial
faicte selon la Capacité du maistre toutesfois
aueeq mon aduis, Plaise a Dieu que l'extrauagance
du sujet puisse donner quelque recreation a sa Mat.té
La montaigne s'appelle la siera de S Juan en
malagon, elle est fort saulte et erte, et fort
difficile a monter et descendre, de sorte que nous
auons les Nuees dessous nostre veue bien bas,
demeurant en hault le ciel fort clair et serain,
Il y a en la summité un grande Croix de bois
laquelle se descouure aysement de Madrit, et il y a de
coste une petite Eglise dediée a S Jean qui ne se
pouuoit representer dedans le tableau, car
nous l'aurons derriere le dos, ou que demeure un
Ermite que voyez aueeq son borico, Je n'ai pas
besoing que en bas est le superbe bastiment de S.t
Laurens en escurial aueeq le village et ses allées
d'arbres aueeq la prenada et ses deux estangs et
le chemin vers madrid qu'apparoist en hault proch.
de Longont, la montaigne couuerte de ce nuage se
de la sierra tocada pource qu'elle a quasi tous
jours comme un Voyle alentour de sa teste
Il y quelque tour e mayson a costé ne me souuenant
pas de leur nom Particulierement, mais Je scay que
le Roy e allott par occasion de la Basse la
montaigne toutcontre a main Gauche est la siera
y puerto de butrago voyla tout ce que Je puis
dire sur le sujet demandé a jamais

(notes marginales, écrites verticalement à gauche :)

x la montaigne douce, n'est caillée
On peut peint peu compt. Est representé en la Peinture

J'ay oublié de dire qu'au summité sont
un ermitaine, Je n'oseray comme
est representé en la Peinture

Monsr le Roy
Duc de quelques MrChambre
Fra Paulo Roy

ピーテル・パウル・ルーベンス
（1577-1640）から
バルサザール・ガービアーへ
1640年4-5月

1640年の春にアントワープから書かれたこの手紙は、国際的なアーティスト兼外交官としてのルーベンスによる夥しい数の書簡中の、残存するほぼ最後の手紙である。彼はこの数週間後、62歳で死去した。イギリス国王ジェームズ1世による国家的大注文に従事したフランドルの画家は、自分のアートを追い求めて宮廷から宮廷へと常に移動し、後にジェームズの息子チャールズ1世から内密の外交使節を任された。1628年秋、彼はマドリードに到着し、その後数ヶ月をかけて国王フィリップ4世のために絵画を制作し、平和条約交渉を行った。彼にはアーティスト兼外交官バルサザール・ガービアーとエンディミオン・ポーターの2人が同行し、フィリップ4世の宮廷アーティスト、ディエゴ・ベラスケスと親交を結んだ。ある日、ルーベンスとベラスケスはマドリードの北にある山に登り、そこから這うように広がるエル・エスコリアルの王宮を見下ろした。

ルーベンスはその場所でデッサンを描き、それを基にピーター・ヴェルハーストが絵画を制作した。ルーベンスの見解では、ヴェルハーストは「非常に凡庸なアーティスト」だった。この絵はチャールズ1世がアート・コンサルタントとして信頼をおくガービアーが、当時、ロイヤル・コレクションのために取得を望んだ作品だった。ルーベンスはガービアーが王に説明できるように、手紙の中でヴェルハーストの絵について細かく描写している。山岳風景や地名、雲の上にいるような経験が、生き生きとかつ正確に彼の脳裏には蘇っている。

*1 訳者注：ヴェルハースト
*2 訳者注：「追い詰められた鹿」と推測されるが、それ以上は不詳
*3 著者注：英語による他人の手書きあり：
　　he means deare,wich is called
　　venson when putt in crust. [「彼が
　　言っているのは鹿。パンに挟まれるとヴェ
　　ニソン（鹿肉）と呼ばれる」と推測される]

Artist's Letter

モンシニョール

ここにエスコリアルの聖ローレンスの絵があります。マスター*1の技量に従っていますが、私の監督の基で完成されました。神のおぼしめしなら、主題の贅沢さが閣下に喜びを与えるでしょう。ラ・シエラ・デ・S・ファン・アン・マラゴンと呼ばれるこの山は非常に高く急峻で、登り降りするのが大変困難です。眼下に雲を抱く一方で、上空はどこまでも澄み渡り、ずっと穏やかでした。頂上には、マドリードから容易に望むことができる大きな木製の十字架があり、またその側には、聖ジョンに捧げられた小さな教会がありますが、それは私たちの背後にあったために、絵には描かれておりません。そこには隠者が住んでおり、彼がラバを連れている姿を見ることができます。

言うまでもありませんが、下にあるのは、エスコリアルの聖ローレンスの素晴らしい建物、村とその並木道、フレネダと2つの池です。そしてその上にはマドリードへの道が、地平線近くまで描かれています。雲で覆われた山はラ・シエラ・トカダと呼ばれています。なぜなら、いつもその頂上の周りにベールがかかっているからです。片側には塔と家があります。私はそれらの名前を忘れてしまったのですが、国王が時折そこで狩りに出かけられることを知っております。一番左の山はラ・シエラ・イ・プエルト・デ・ブイトラゴです。以上が、私が主題についてあなたに語ることができる全てです。

敬具、貴方様へ。あなたの非常に謙虚な下僕、
　　　　　　　　　　ピーテル・パウル・ルーベンス。
絵に見るように私たちは頂上で、forze venyson*2を見つけたことを言い忘れていました。*3

Dear Leo, Have is your series finished —
9 in all and 1 separate piece if you need it. They are shaped this way □ & can. go 2 on the facing wall 3 on each side & 1 on the small inner wall making the total 9 —
I am really terribly happy over them & I think that you will be pleased by them. Now they must have some time to dry — Will have them stretched

サイ・トゥオンブリー（1928 - 2011）から
レオ・カステリへ
1964年1月頃

　1963年の冬、若いアメリカ人アーティスト、サイ・トゥオンブリーは、《コンモドゥス論》という9点の大キャンバス・シリーズを描いた。彼は1957年以来、ローマに住んでいた。レオ・カステリ・ギャラリーからの展覧会への誘いは、NYのアート・シーンと再び接触を持つためのまたとない機会だった。1960年代、カステリは世界で最も成功した商業ギャラリーの1つで、ジャスパー・ジョーンズやロイ・リキテンスタイン（p.33、109）、その他のポップ・アーティスト、ミニマリスト、コンセプチュアル・アーティストたちによる最初の展覧会は、このギャラリーで開催された。カステリがアーティストを取り上げる際、しっかりとした経済支援も行った。トゥオンブリーは、新しいシリーズに着想を与えたローマ皇帝アウレリウス・コンモドゥスの高価な首像の代金を払ってくれたことを、カステリに感謝している。トゥオンブリーはカステリを1人の友人として考え、彼の新しい家族によろしくと伝えたり（カステリは1963年に再婚した）、彼の共同ディレクター、イワン・カープに感謝を表している。

　他の多くの作品と同様、《コンモドゥス・シリーズ》は古典的な歴史を参考にしている。しかし灰色の平坦な地に赤い絵の具のたうち、飛び散ったりしている「コンモドゥスの治世と死という暴力」の表現には、当時起こったばかりの1963年11月のジョン・F・ケネディ大統領暗殺が影響している。1964年3月のトゥオンブリーの個展の評価はさんざんであった。ポップの時代に、彼の表現主義的な筆使いは、「ひと昔前のアート」のように見える。一体なぜ現代のアメリカ人画家は「古いヨーロッパ」に心を奪われたのか？ 絵は1枚も売れなかった。

　「私はそれらを見渡し、非常に満足している」というトゥオンブリーの快活な楽観主義は落胆へと変わる。数年すると、彼はほとんど何も描かなくなる。コンモドゥス・シリーズがアメリカで次に登場するまで、1979年のホイットニー・アメリカン・アート美術館における彼の回顧展まで待つ必要があった。今ようやく、NY・タイムズ紙が指摘するように、「トゥオンブリー氏は、彼の時代を迎えた」。

*1 著者注
*2 著者注［イタリア生まれの写真家。1958年、彼のローマのギャラリーでトゥオンブリーは初個展を開催］

Artist's Letter

　親愛なるレオ、あなたのシリーズを完成しました。全部で9点と、あなたが必要とするならもう1点あります。それらはこんな形をしていて（手紙中の縦長の長方形のスケッチ）*1、正面の壁に2点、両側面にそれぞれ3点、内側の小さな壁に1点、あわせて9点です。

　私はそれらを見渡し、非常に満足しています。あなたも気に入ると思います。さて、これらの作品には乾かす時間が必要です。可能ならば非常に良質の乾いた木にそれらを張ってもらいますが、張れる状態になり次第、プリニオ（デ・マルティス）*2は小冊子のために、全9点をカラー刷りで使いたいと言っています。時間に関してあなたに計画を立ててもらえるなら—それらは確実に2月中旬までに送ることができるので、以前話したように、恐らく3月には…。他に何かありますか？ また、あなたはドローイングをご所望でしたか？ そうであれば、何点くらいをお考えでしょうか？ コンモドゥスをチェックして頂きありがとうございます。私はそれに無我夢中でしたが、恐らくそのことが、このシリーズを完成に導いてくれました。夢中になって新しいものを得るのは良いことです。あなたの素敵な新しい家族によろしく。イワンにも、彼の変わらぬ支援に対する感謝を。
愛を—サイ

Scarboro' me
Jan 4 1901

my dear Mr Clarke
I send today
to Mr Knoedler
the last of the
three pictures that
you are to have
on the Commission

Consider them

2

the best that I
have painted.

The western light
I got from the
Point of Prouts Neck
overlooking the bay
& Old Orchard —

You will see

[Jan. 4, 1901]

of Old Orchard
on the right hand
is the Picture.

I have not put
any price on these
pictures — Mr Knoedler
will have them for
sale in a week or

so — This makes
every picture that
I have (but two,
One at the Cumberland
Club, Portland me —
& one in my studio

Yours very truly
Winslow Homer

Mr Thomas B Clarke
5 — East 34th St New York
city

ウィンスロー・ホーマーは、メイン州の海岸にある岩場が多い半島プロウツ・ネックに、海に面した広いバルコニー付きのスタジオを構え、ソーコー湾を見渡しながら絵を描くことができた。1884年にNYからここに移り住んで以来、彼は快適な隠遁生活を送るために、元々あった馬車格納庫をスタジオ兼住居として使えるように改造し、家全体を移転させた（ジャクソン・ポロックがロングアイランドの小屋でやったように）。ホーマーは1866年に、アメリカ南北戦争の1シーン、北軍将校を睨みつける南軍兵士の捕虜の一団を描いた《前線の捕虜》（メトロポリタン美術館、NY）で有名になった。1870年代の彼は、海沿いのオランダ、フランス、イギリスのアート・コロニーで行われていた屋外での制作を熱心に行い、1881年から1882年にかけての時期は、カラーコーツの北西にある漁港で過ごした。

　彼がプロウツ・ネックで描いた一連の海景は、海辺の労働やレジャーを描いた世界から、人が全くいない自然の諸要素のドラマへと変化した。例えば《北東部》（1895年、メトロポリタン美術館、NY）では、風に運ばれる波が暗い岩礁棚（がんしょうだな）に激しく砕けている。この種の絵画は、彼が手紙の中でトマス・B・クラークに説明している最近作、《ウェストポイント、プロウツ・ネック》（1900年、クラーク・アート・インスティチュート、ウィリアムズタウン）を含め、ホーマーを経済的に豊かにした。手紙の中の自画像入りのスケッチは、彼のバルコニーから見える湾の遠い岸の灯りをそれとなく示しているように思える。しかし作品では、彼はこうした人間生活の痕跡を排除した。

　ユーモラスで自信に満ちた彼の短いビジネス・ノートはまた、NYの文化史の一瞬をスケッチしている。ホーマーのディーラーであるM・ノイドラー社は、現代の巨匠たちの絵画とオールド・マスターたちの絵画を、当時の有名なプライベート・コレクションやインスティテューション・コレクションに売却した。元リネン王で現在はフルタイムのアート・ディーラーとなったクラークは、ユニオン・リーグ・クラブのアート委員会の議長を務める傍ら、金融業者のジョン・ピアポント・モルガンにも助言を行った。モルガンはメトロポリタン美術館の桁はずれに寛大な後援者であり、1904年、その理事長に就任することになる。

* 訳者注：メイン州の略

ウィンスロー・ホーマー（1836–1910）から
トマス・B・クラークへ
1901年1月4日

Artist's Letter

スカボロー、ミー*
親愛なるクラーク様

　私は今日、M・ノイドラーに、あなたがユニオン・リーグのために確保することになっている3点の絵画のうち、最後のものを送ります。これまで描いてきた中で最高のものだと思います。タイトルは《ウェストポイント、プロウツ・ネック、ミー》。西方の夕焼け。私はプロウツ・ネックの岬から、湾とオールド・オーチャードを臨みながら描きました。それは絵の右側でご覧になれます。私はこれらの絵に値段を付けていません。M・ノイドラーが1週間かそこらで売りに出すでしょう。M・ノイドラーが全ての写真を撮ります。（ただし2組。1組はポートランド・ミーのカンバーランド・クラブに、もう1組は私のスタジオに）
敬具　ウィンスロー・ホーマー。トマス・B・クラーク様へ。5−東34、NY市、NY州

Dear Dr. Papanek Mama

Heard from Michigan
& California. Both are
yes! Spent a difficult
weekend since I heard
Friday from Mich. & was
unhappy. Today I feel great!
Will write and see you
soon.

My dad is ill, nothing
serious I hope.

I have needed the pills
on Chet is fine.

Love
Eva

エヴァ・ヘス（1936−1970）から
エレーヌ・パパネクへ

1959年4月6日

エヴァ・ヘスはイェール大学建築芸術学部で学位取得のための最後の学期を迎えていた時、精神不安やうつ病の再発に苦しんでいた。17歳の時以来、心理療法士エレーヌ・パパネクがその治療にあたっていた。エヴァ・ヘスは1959年3月14日、目が覚めると呼吸ができなかったためイェール・メンタル・ヘルス・センターに入院したが、ヘス本人の見解ではあまりにも早く退院させられた。パパネクは「あなたがとても混乱していると聞いて本当に申し訳なく思います…あなたは治ったと思っていました」とすぐに返事をした。ヘスは、パニックは授業と人間関係によって引き起こされたと述べ、「怖いのです」と付け加えている。

3月27日、ヘスはNYでパパネクの診察を受け、自殺したくなる感情を告白する。パパネクは彼女に抗精神病薬を与えた。その2日後には錠剤も効いて、ヘスは「ありがとう!! あなたに話すことができて、とても良かった」と書いている。パパネクはイェールのヘスの担当医師ローレンス・フリードマン博士に、ヘスの再発について報告した。パパネクは「他人に掴みかかり、それについて罪悪感を持つことの悪循環。彼女が抱く罪悪感のためには、もっと支援を必要とする」と診断した。フリードマンもまた、ヘスが快方に向かっていることを期待し、彼女が哲学の論文を書き終え、夏休み中にアルバイトをすることにしたと書き留めながらも、新たな危機を認めた。ヘスはプロクロルペラジン*の処方箋を頼りに、フリードマンのところに行ったことがあった。パパネクはフリードマンの手紙を、「私は2〜3日、気分の良い日を過ごしたが、また気分が沈んでいる」というヘスからの手紙と同じ日に受け取ったにちがいない。パパネクは「あなたが私に会いたいと思ったら、いつでもNYに来てください。私に知らせてください」と、返事をした。この手紙はヘスの葉書と行き違いになった一だが、この強烈で率直で痛々しく炸裂するような交信の最後は、必ずしも物語の終わりではなかった一その葉書の中で、ヘスは仕事のオファー、家族のニュース、そしてボーイ・フレンドのことに触れ、パパネクを安心させている。「私はとても気分がいいです!」

1964年、アメリカのミニマリズムの彫刻家ソル・ルウィットに出会った後、ヘスは絵画から彫刻へと転向した。彼女は機械の滑らかな仕上がりや感情を欠いた冷たさの代わりに、不規則なテクスチュア、有機的な形や解剖学の資料を利用した独自のミニマリズムを発展させた。布、グラスファイバー、ラテックスを使って実験しながら、彼女は自分の作品に「不条理や行き過ぎた感情」を具体化させようとした。ヘスが脳腫瘍で亡くなった時、わずか34歳だった。ヘスの作品は彼女の死後、彫刻、特にアートにおける身体のフェミニスト的解釈に大きな影響を与えてきた。

* 訳者注：総合失調症の治療に用いられる神経遮断薬

Artist's Letter

親愛なるパパネク博士

　ミシガンとカリフォルニアから聞きました。どちらもイエスです! 私はミシガンから金曜日に聞いて以来、つらい週末を過ごしました。不幸でした。

　今日はすごく気分がいいです! すぐに手紙を書きます、そして会いに行きます。

　私の父は病気で、重大なことがないようにと思っています。

　私は時々、薬が必要です。チェットは元気です。
愛をこめて。エヴァ

Sept. 5th

Dear Mr Beatty

I have long been wanting to write to you, & have hardly known how. It is so long ago that I had the pleasure of meeting you in Paris that you may have forgotten the conversations we had at that time. I then tried to explain to you my ideas, principles I ought to say, in regard to jurys of artists, I have never served because I could never reconcile it to my conscience to be the means of shutting the door in the face of a fellow

アレゲニー市（現ピッツバーグに含まれる）の裕福な家庭に生まれたメアリー・カサットは1864年、絵を学ぶためヨーロッパに船で渡り、1874年にパリに落ち着いた。1879年、エドガー・ドガが第4回印象派展に誘って以降、彼女はグループの一員とみなされ、アート・ディーラーのポール・デュラン=リュエルが印象派のためにお膳立てした経済的な成功の恩恵を受けた。1894年、ボーフフレネ城を購入した彼女は、そこからピッツバーグのカーネギー研究所のディレクター、ジョン・ウェズリー・ビーティに手紙を書いた。

カサットはビーティから依頼された、研究所の年次美術展の審査員就任要請を丁寧に断り、審査員制度がいかに創造性や独創性を抑制するものであるかを説明している。彼女は「審査員も報酬もなし」をモットーとした官展[*1]に代わるものとして、1884年に設立されたアンデパンダン展（**Salon des Indépendants**）を引用する。カサットは、違う方法でのカーネギー研究所への支援を申し出ている。それは後日、外国人諮問委員会に入ることにより果たされた。

*1 訳者注：政府主催の美術展覧会
*2 訳者注：カサットが購入したボーフフレネ城の住所

Artist's Letter

メルニーボーフフレネ城
フレスノー=モンシュヴルイユ、
メニル-テリブス（オワーズ）[*2]

親愛なるビーティ様

私は長い間あなたに手紙を書こうと思っていましたが、どのように書けばよいか分かりませんでした。先日、パリでお会いできたことをとても嬉しく思います。あなたは、その時の会話をお忘れになっているかもしれませんが。私が説明しようとしたのは、アーティストたちへの審査に関して言っておかねばならない私の考え、原則です。仲間の画家の面前でドアを閉ざす手段となることが、私の良心とは相容れなかったので、これまで引き受けたことはありませんでした。審査員制度はレベルアップに繋がるかもしれないとは思います。特にカーネギー研究所の展覧会の場合は、間違いなく。しかしアートにおいて私が望むことは、独創性を持つ天才のひらめきがかき消されない、という確かな見通しです。それは平均的な素晴らしさより良いことであり、生き残るものであり、本質的に育てるべきものです。パリの「アンデパンダン展」は元々、私たちのグループが始めました。私たちのアイデアによる展覧会です。他の人たちに引き継がれましたが、審査員はいません。独創的才能を持つアーティストの多くが、この10年間にそこでデビューしました。彼らは官展では機会に恵まれていませんでした。私たちの職業は奴隷化されています。例えば、記事を書く能力を持った文筆家が、ライバルとまでは言わないものの、同じ文筆家である審査員によって合格を与えられなければ発表できないことを考えてみてください。

この長い釈明をお許しください、このテーマを語ると興奮してしまいます。私たちの職業上の非常に重大な問題に思えるのです。以上が、貴研究所の審査員をお引き受けしなかった理由です。他のやり方でお役に立つことができるのなら幸いです。私には、所長のあなたが専念されている研究所のお役に立つために、障害になるようなものは何もありません。絵を送ることに関してですが、今年は1点も持っていません。全てパリで売れてしまいました。絵の所有者たちも私と同じ考えだと思いましたので、作品を送ってもらうよう頼むことは致しませんでした。私の心からのお断りと、改めての弁解と共に、私を信頼ください。親愛なるビーティ様へ

敬具　メアリー・カサット

メアリー・カサット
（1844-1926）から
ジョン・ウェズリー・ビーティへ
1905年9月5日

Dear Lou, ——   It was good to get your letter.
I hardly know what to advise — The housing
shortage in N.Y. (as every place is) is
terrific — don't think there is any thing
to be had — possibly a cold water flat on the
lower East side.

We are about 100 miles out on Long Island
three hours on the train. Have been here
thru the winter and we like it. we have
5 acres a house and a barn which I'm
having moved and will covert into a studio.
The work is endless — and a little depressing
at times. — but I'm glad to get away from
57th Street for a while. We are paying
$5000 for the place. Springs is about 5 mile
out of East Hampton (a very swanky wealthy summer
place). — and there are a few artists — writers
etc. out during the summers. There are a few
places around here at about the same price.

ジャクソン・ポロックは1943年11月、ペギー・グッゲンハイムのギャラリー「今世紀のアート」で初の個展を開催した。グッゲンハイムとの契約はフルタイムで絵を描くことのできる自由を意味した（それ以前の彼は、口紅のパッケージのデザインや臨時の仕事で生活の糧を得ていた）。友人で元仲間の学生ルイ・バンスに謙遜しつつ報告しているように、彼の作品は「かなり良い反応」を受け始めていた（1944年に、近代美術館が彼の絵《雌一狼》を購入した）。1945年10月、ポロックはアーティストのリー・クラスナー（p.211）と結婚した。翌月、この2人はNYのボロボロのアパートを去って、ロングアイランドのスプリングスの村へ向かった。ポロックはアート界に不満を持ち、しきりに揶揄したがっているように見える（彼はアート・スチューデント・リーグでの彼とバンスの伝統主義者の教師、トマス・ハート・ベントンに言及している）。バンスに概要を説明しているその計画に従って、スタジオに改造したスプリングスの納屋の床の上で、ポロックは最初の「ドリッピング・ペインティング」を生み出すことになる。

* 訳者注：NY市マンハッタン区の地区名

Artist's Letter

ジャクソン・ポロック（1912-1956）からルイ・バンスへ
1946年6月2日

親愛なるルー

　君から手紙をもらってよかった。僕は何をアドバイスしたらいいのか、ほとんど分からない。NYの住宅不足はどこでも同じようにひどい。手ごろなものがあるとは思えない…あったとしてもローワー・イースト・サイド*の近代的給湯設備のないアパートくらい。

　僕らは約100マイル離れたロングアイランドにいる。汽車で3時間。冬の間、ずっとここにいた。そして気に入っている。5エーカーの家と納屋があり、僕は納屋に引っ越したところで、ここをスタジオに変えるつもりでいる。仕事は無限にある。でも、時々少し気が滅入ったりする。しかし、57丁目からしばらく離れてよかったと思っているんだ。家賃に5000ドルを払っている。スプリングスはイーストハンプトン（非常に見栄を張った富裕者向けの避暑地）からは約5マイル。そして夏の間、数人のアーティストたちがやって来る。この周辺には、ほぼ同じ価格の物件がある。

　君も知っているように、僕は戦争中、絵を描くことができた。そしてその機会に非常に感謝し、最大限に利用しようとした。僕のような者が描く絵に興味を持っている人たちから、かなり良い反応がある反面、批判的な観点からのものもあった。光と空間が変わってしまうので、ここから出て行くのは困難だと分かった。そちらでやるべきことはたくさんあったが、僕はまもなく仕事でダウンするような気がする…（中略）

　バジオーテスは、君が触れている画家たちの中で最も面白い。ゴーキーは、ピカソからミロを通ってカンディンスキー、そしてマッタへと、どんどんよいものに向かって新しい展開を示している。ゴットリーブとロスコも面白いことをやっている。パウセット＝ダートも…（中略）

　ここ数ヶ月のアート誌には、ベントンへの理性的な攻撃がある。それは僕が何年も前から感じていることだ。僕がここに引っ越して来る前から、ベントンは僕のところにやって来るようになった。ベントンは私の絵が好きだと言ったが、それがどれほどの意味を持っているか、君は分かっているだろう。

　エデとジョンによろしく、君の計画についてさらに聞かせて欲しい。

ジャック

Havendo ē mo. s. r. visto e considerato horamai ad sufficientia le prove di tutti quelli che si
reputano maestri e compositori de instrumēti bellici: et ch le invētione e operatione di dicti
instrumēti nō sono niente aliene dal cōe uso: mi exforzarò nō derogando a nessuno alt.
farmi intende da v. exē: aprendo a qlla li secreti mei: e apresso offerendoli ad ō. suo piacimēto
i tempi oportuni operare al effecto ch. ca. tutte qlle cose ch. sub brevità sarāno q. disotto
notate: e ancora i molte piu secōdo le occurrēce de diversi casi ͡

Ho modi de pōti leggierissimi e forti e atti ad portare facilissimamēte: e cō qlli seguire
e alcuna volta fugir le occurrēce fuggir li inimici: e alteri securi e offensibili da foco
e battaglia: facili e cōmodi da levare e ponere. Et modi de ardi. e disfare qlli de li inimici

So i la obsidione de una terra togliere via l'acqua de fossi: e fare ī finiti pōti. ghatti e scale
et alteri ī strumēti pertinēti ad dicta expeditione

sē se p. altezza de argine op. for. terra de loco e di sito nō si potesse ī la obsidione de
una terra usare l'officio de le bombarde: ha modi di ruinare omni forti o altera forteza
se gia nō fusse fondata ī su el sasso ͡

Ho ancora modi de bombarde cōmodissime e facile ad portare: Et cū qlle buttare minuti sassi
a similitudine quasi di tempesta: e cū el fumo di qlla dando grāde spavēto al inimico
cū grave suo danno e cōfusione ͡

Et quādo accadesse essere ī mare ho modi de molti ī strumēti actissimi da offende e defende:
et navili ch. farāno resistenza al trarre de omni grossissima bōbarda: e polve e fumi

... per acque passare la fossi o alcuno fiume

... i. el terreno ē immica ch. farō artiglierie nō ei ī molta fa. le q. li

... altro a cōpositione ch. diverso a qlli che pōterāno fera fettore cū di

... cōmōdo

... e a gloria ī mortale e eterno honore de li

... del S. r. vostro padre e de l'inclyta casa sforzesca.

Et p. el ... le sobadette cose a alcuno paressi impossibile e infattibile me ne offero
para ... de fare ī vostro experimento ī. q. parco ... nostro o ī qual loco piacerà a vost. exē. ...
... humilmente qto piu possa me recomando ͡

30歳の頃、レオナルド・ダ・ヴィンチは、出身地のフィレンツェからミラノに移り、そこで彼はミラノの事実上の支配者であるルドヴィーコ・スフォルツァに雇用を求めた。ルドヴィーコの軍事的野心に気付いたレオナルドは、エンジニアとしての自分の才能を強調するために、要点を10項目にまとめた申請の手紙（プロの代書人によってきちんと整理して書かれたもの）を使った。ほぼあとがきのような形で、彼は「他の者と同じくらい」優れたアーティストでもあると述べている。レオナルドはスフォルツァ宮廷の「エンジニア兼画家」に任命され、1500年までミラノに滞在した。

Artist's Letter

レオナルド・ダ・ヴィンチ
（1452～1519）から
ルドヴィーコ・スフォルツァへ
1482年頃

私の最も輝かしい主、

　自らを戦争器械のマスターや考案者と考える者たちの業績を十分に見て考察してきた（中略）私は、他の者を貶めるためではなく、私の秘密をあなたに明らかにするという目的のために、閣下に私自身を理解して頂けるよう努めます（中略）

1.私は、敵を追跡し、場合によっては敵から逃げることもできる非常に軽くて強い、容易に持ち運び可能な組み立て式の橋のプランを持っております（中略）

2.私は、ある地域を包囲攻撃する際、堀から水を取り除く方法と、無限の数の橋や弾除け、そして攻城はしごを作る方法を知っています（中略）

3.私はまた、ある地域を包囲している時に、斜堤の高さやその場所や、土地の強さのために進軍できない場合は、すべての要塞を破壊する方法を持っております（中略）

4.私は最も使いやすく、簡単に持ち運びができ、それを使って雹のような小さな石を投げ飛ばすことのできる大砲も持っております（中略）

5.私は坑道や秘密の間道を通って、指定された場所に到着する手段を持っております（中略）

6.また私は敵と彼らの砲兵を突破できる、安全かつ攻撃不可能な鎧で覆われた車を作ります（中略）

7.私は、必要に応じて、非常に美しく機能的なデザインの大砲、迫撃砲および小型砲を作ります（中略）

8.私は、大砲が使用できない場所では、射出機、投石器、投石機、その他にも素晴らしく効果的な器械を組み立てます（中略）

9.海戦が起こるなら、私は攻撃にも防衛にも非常に適した多くの器械の見本を持っております（中略）

10.平時には建築の分野で、公共の建物や私的な建物の建設に関して、また水をある場所から別の場所へ引くことにおいて、私は他の者と同じくらい充分な満足を提供できると信じております。

　また私は、大理石、青銅、粘土で彫刻を制作することもできます。絵画でも同様に、私は他の者と同様に、可能な限りのことができます（中略）

　そして、上記のことを為せる者が誰もいないのであれば、閣下、私は喜んであなた様の庭で、またいかなる場所においてでもそれらを実証し、閣下に喜んで頂ける準備ができております。平身低頭、謹んで私をあなたに推薦いたします。

Dezember 1911.

Lieber Dr. E.

„Die Offenbarung"! — Die Offenbarung eines
betreffenden Lebewesens, ein Dichter, ein Künstler, ein Wissender,
ein Schöpfer kann es sein. — Haben Sie schon gesehen welchen
Eindruck eine große Persönlichkeit auf die Mitwelt ausübt?
Das wäre eine. — Das Bild muß von sich Licht geben, die Körper
haben ihr eigenes Licht, das sie beim Leben verbrauchen; sie
verbrennen, sie sind unbeleuchtet. — Bemerkst du die Figur?
— Die eine Hälfte soll also die Vision eines so großen Menschen
gegenüberliegt, daß der, der eben vorüberläuft, hingerissen
hinwiederumeint, sich beugt vor der Größe die schaut, also
die Augen zu öffnen, die angeregt, der das ehrerbietigste
Licht erzeugt oder andere Farbe ausströmt, in dem
Vorwurf daß der Schauende, hypnotisiert in dem
großen fließt. — Nichts ist alles rot, erzeugt, betrachten u.
kurz ist also das ihm ähnliche Schauen, das andererseits
der ersten großen geleucht. — (Positives und negatives
leuchtbildet ereinigen sich.) So soll betrachtet sein daß der
schauende kleine in der strahlenden großen hineinschmelzt.
Das wäre einiges über mein Bild. „Die Offenbarung"!

Egon Schiele.

エゴン・シーレは1911年の春、ウィーンのギャラリー・ミースケで初の個展を開催した。展覧会は一連の幻想的な絵画から成り、《啓示》（レオポルド美術館、ウィーン）も含まれていた。画面中央で、目のくぼんだ2人の人物が互いにぴったりと体を寄せ合い、彼らはマルチカラーのローブに包まれていて、輝くようなピラミッド状のマッス（塊）を形成しているかのようだ。その絵は、歯科医ヘルマン・エンゲル博士によって購入されたが、エンゲルにシーレを紹介したのは、批評家アーサー・レスラーだった。彼はシーレを初期の頃から支援していた1人であった。シーレはその当時、クルムアウという小さな町（現在はチェスキー・クルムロフ）に住んでいたが、間もなくして、彼の性的で露骨なヌードのモデルとして地元の少女たちを使ったことに対する非難を浴び、そこを立ち退かざるを得なくなった。夏の終わりまでに彼はウィーン近郊に戻り、そこでエンゲルからの問い合わせを受けたようだ。

エンゲルがこのいかがわしい若手アーティストから購入した奇妙な絵についての分かりやすい説明を望んでいたとしたら、熱狂的な言葉で神秘的な考えを語るシーレの手紙に当惑したにちがいない。「体はそれ自身の光を持っている」、「星のような光」、「催眠術にかかったような流れ」。エンゲルはシーレの歯を治療したが、シーレはその支払いを彼の娘、トルデの肖像画（リンツ美術館、リンツ）を描いて済ませた。それは、輝くようなもつれた黒髪を持つ、自信に満ちた娘を描写している。しかしトルデは肖像画に仰天し、ナイフでそれを突き刺してしまった。ヘルマンはシーレのアートに対してそれほどの理解力をもたなかったようで、後に《啓示》を含め、シーレから買った絵を無償で人に譲った。

Artist's Letter

親愛なるE博士

「啓示!」―ある存在の啓示。それは詩人であり、アーティストであり、知識人であり、霊媒者でもありえます。素晴らしい個性が世界の中に作り出す印象を、あなたはこれまで感じたことがあったでしょうか? それがこれです。絵はそれ自身が光を放たなければなりません。肉体はそれ自身が光を持ち、生涯を通してその光を使い果たします。肉体は燃えます。肉体の光は燃え尽きます。後ろ向きの人の姿は…? 半分は、このように偉大な人間のビジョンを人物像として表すべきです。霊妙な力を発揮する者は、その目を開かずに見ることができる偉大な者の前で、歓喜でひざまずき、身をかがめ、朽ち果てます。その彼からオレンジ、その他の色をした星のような光が流れ出し、そうした過剰の中で、ひざまずいている者は偉大な者の中へと催眠術にかかったように流れ込む。右側は赤、オレンジ、濃い茶。左側にいるのは彼に似た存在、それは右側の偉大な者に似ているが異なっている（プラスとマイナスの電気が結合する）。つまり私が言いたいのは、彼の膝の上の小さな者は、光を放つ者の中に融合する、ということ。以上があなたへの私の絵についての考えです。「啓示!」

エゴン・シーレ

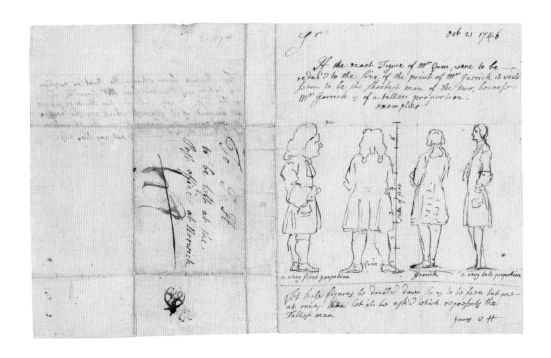

俳優のデイヴィッド・ギャリックとジェームズ・クインは、体格や演劇スタイルが大きく異なる、18世紀のロンドンの演劇界の2大スターだった。ギャリックより若い世代のクインは「素朴で気楽な対話の、天性の暗唱者」で、彼なりのやり方で「大声を出したり」「紅潮したり」しながら、シェイクスピアの『オセロ』のための悲劇的な役作りに悩んでいた。またギャリックは1743年にシェイクスピアの『リチャード3世』役で名声を博し、その役に新しいロマンティックな自由さと2枚目俳優のカリスマ的魅力を吹き込んだ。1745年にウィリアム・ホガースが描いた、その役を演じるギャリックの肖像画（ウォーカー・アート・ギャラリー、リバプール）を見ると、それらの特徴がよく伝わってくる。彼が観客に向かって劇的な身振りを行う時の、首飾りを付けたS字型のポーズは、ホガースの理論的な「美の線」に基づくものである。1746年6月、ホガースはその絵の版画を出版した。ギャリックは彼のファンのために、その版画に署名したであろう。

ノーウィッチの文学協会の一会員である「T.H.」宛てのホガースの手紙は、ホガースが人間の個性と古典的な比率の両方に、永遠の関心を抱いていることを表している。これは彼の版画に対する批判への応えであったのかもしれない。1746年10月の日付は、クインとギャリックがロンドンのコペント・ガーデン・シアターで共演した唯一のシーズンと合致している。

ウィリアム・ホガース（1697-1764）から
T.H.へ
1746年10月21日

Artist's Letter

T.H.へ
ノーウィッチ郵便局　留め置き
拝啓

クイン氏の正確な体つきを、ギャリック氏が描いた版画の大きさまで縮小すると、クイン氏の方が背が低くなって見えます。なぜなら、ギャリック氏が背の高いプロポーションをしているからです。
例：
それが分かるように重ね合わせてみましょう。しかし、同時に1つになるように重ね合わせた場合、絶対的に背の高い人をどう表現するかが問題になるでしょう。

あなたのＷＨ

Düsseldorf, den 16. November 1966

Sehr geehrter, lieber Monsignore Mauer!

Ihre Auskunft über „Innsbruck" hat mich gefreut und ich bedanke mich für ihren Brief.

Die Edition Block ist äusserlich gesehen eine Kassette in den Maßen wie auf der beiliegenden Karte beschrieben.
Von mir gemeint ist, dass man das ganze Objekt in irgendeiner Weise auseinander legt und in einen flachen Rahmen oder Kasten einrahmt. Wichtig ist für mich, dass man alle Teile zur gleichen Zeit zusammensieht.

Text I Text II   Zeichnung mit 2 braunen kreuzen in Ölfarbe.

Kassette   halb.filzkreuz

Es ist einfach. aber für mich eine wichtige Arbeit ein ziemliches Mysterium. In schön gedruckt

ヨーゼフ・ボイス(1921-1986)から
オットー・マウアーへ
1966年11月16日

モンシニョール・オットー・マウアーは1960年代のヨーロッパの実験的なアート・シーンには稀有な経歴の持ち主だった。ナチス時代のカトリックの司祭兼抵抗者として、彼は幾度とない逮捕を耐え抜いてきた。戦後、彼はウィーンの聖シュテファン大聖堂の高位聖職者となり、1954年には隣接するアート・ギャラリーの運営を引き継いだ。その後の20年間に、マウアーはギャラリー聖シュテファン大聖堂を、パフォーマンスやインスタレーション、コンセプチュアル・アートのためのショー・ケースへと替えた。そこにはドイツの彫刻家兼パフォーマンスの活動家ヨーゼフ・ボイスの作品もあった。マウアーはまたギャラリーのために大規模な近代、現代アートのコレクションを築き上げた。

1966年11月、ボイスはエディション・ブロックと共同制作し、ベルリンのギャラリストであるルネ・ブロックが販売する予定の新しいベンチャー的出版事業、マルティプル*1について、潜在的なコレクターとしてのマウアーに宛てて手紙を書いている。その出版事業は、1958年以来、ボイスが多くの作品で使用して来た赤茶色の家庭用塗料にちなんで名付けられた「茶色の十字架」シリーズに関連したものである。ボイスが好んだ材料―フェルト、木材、凝固脂肪―と同様、「茶色の十字架」の絵の具は、ごくありふれたものであると同時に、血、土、鉄錆を示唆する聖なるものでもある。

現在、ボイスはデュッセルドルフの州立芸術アカデミーで教鞭をとる、日常生活への「アートの拡大」の指導者、あるいはシャーマニズム的パフォーマーとして広く知られている。その大衆向けの「アクション」は、何ら関連のないオブジェと黒板にチョークで書かれたテキストとを、アーティストと観客との積極的な対話を通して結び付けるものだった。ボイスの最新のアクション《ユーラシアン・シベリアン・シンフォニー1963》は、1966年10月31日、ルネ・ブロックで行われた。冷戦の地政学や戦後ドイツの分断に言及しながら、黒板の上端には縫いぐるみのウサギを登場させ、この手紙にスケッチされた、真ん中にある横向きのTの形(半十字架)をチョークで書いた。

ブロックは「未来はマルティプルに属している」と宣言し、その最初の共同出版事業者として、ボイスに目を向けていた。ボイスはマルティプルのアイデアを喜んで受け入れ、さらに多くのマルティプルを生み出し続けて行くことになる。「私は編集という形の、物理的な乗り物を普及させることに興味を持った」とボイスは振り返って言う。「もしあなたが私のマルティプル全部を持っているなら、あなたは私の全てを持っていることになる」。

*1 訳者注:あるコンセプトの下、一定数量産されるアート作品。立体作品単独、平面作品と立体作品の組み合わせなど、形態は様々。
*2 訳者注:カトリックの大司教、司教の尊称

Artist's Letter

モンシニョール*2・マウアー
　「インスブルック」に関する問い合わせ、嬉しく思いました。またお手紙ありがとうございます。ブロック・エディションの外観はカセットのような形で、その寸法は同封のカードに記載されているとおりです。私が意図したのは、オブジェクト全体が何らかの仕方で分解可能であること、厚みのあるフレームまたはボックスに収められていることです。私にとって重要なのは、全ての部分を同時に見ることができる、ということです。油絵の具による2つの茶色の十字架のあるドローイング…それはシンプルですが、しかし私にとって重要な作品、真の謎(後略)

Dear Sam

So now you have "Tundra" and "The lake" I am very glad I think my paintings will be around quite a while as I perceive now that they were all conceived in purest melancholy.

The drawing that you have is called "The Galleries" as upstairs in a church "the balconies divisions" almost floating position of attention I think the drawing has the quality of that experience a particular twilit melancholy. I like it very much I like your paintings too and hope that if my work ever received the recognition of a "show" that you will send them all.

I hope all is well with you. I do not worry about you because I have great confidence in you

I am staying unsettled and trying not to talk for three years. I want to do it very much.

I stored my small paintings (old, no good) with Mr. Kimbal Blood #275 Sherman Conn. 06784 phone 203·EL 4·8828 I wish you would mail him my drawings

I cannot thank you—words failing—for your encouragment and support. Cannot write without trying

Best wishes always
Agnes.

My address
c/o Rose Caputo Att. 15 Park Row 38
New York NY 10038

130

アグネス・マーティン（1912−2004）から
サミュエル・J・ワグスタッフへ
1967−1968年

アグネス・マーティンが友人でコレクターのサム・ワグスタッフに宛てて、彼が最近買ったばかりの2点の絵画について手紙を書いた時、彼女は母国カナダとアメリカを18ヶ月かけて廻る旅の途中だった。事実、《ツンドラ》（1967、ハーウッド美術館、タオス）は、マーティンが過去10年間に仕事を続けて来たマンハッタン南部のスタジオを立ち退く前に制作した最後の絵画だった。彼女は自分の絵を倉庫に預け、その他一切合切を売り払いトラックで出発した。彼女が再び絵画制作に戻るのは5年後のことである。

ワグスタッフはコネチカット州ハートフォードにあるワズワース・アテネウム美術館のキュレーターを務め、1964年には〈黒、白、そしてグレイ〉展を組織した。マーティン、ジャスパー・ジョーンズ、ロイ・リキテンスタイン、アド・ラインハルト、サイ・トゥオンブリー、アンディ・ウォーホルを含む21名の新しい世代の、アメリカのアーティストの作品を取り上げたその展覧会は、ミニマリズム絵画と彫刻の初めての概観展だった。1960年代のマーティンの絵画は、6フィート4方のキャンバスに鉛筆で描いたグリッドを基にした、独特の瞑想的なミニマリズム形式を呈していた。

マーティンがワグスタッフに語る、自分の絵が「外見はとても静かで内省的」と受け止められていることについての「純粋な憂鬱」は、彼女の生涯にわたる精神分裂症との闘いに関係している。「居を定めず、3年間話さないようにする」という彼女の計画は自己療法の要素を含んでいる。1968年、マーティンはかつて住んでいたニューメキシコ州の北部に戻った。タオス近くの人里離れた土地に、彼女は土れんがと丸太で家とスタジオを建て、そこで「ついに自分の心を乱すことなく、不完全ながら救いの恩寵に達した」。

* 訳者注：**care of** の略（様方）

Artist's Letter

親愛なるサム

　今、あなたが《ツンドラ》と《湖》をお持ちでいらっしゃることを大変嬉しく思っています。自分でも気付いていますが、最近の私の絵は、純粋なメランコリーの中で描かれているようです。

　あなたがお持ちのドローイングは、教会の階上にある「バルコニー部分」に似ているので、《ギャラリー》と呼んでいます。注意を浮遊させるような場所にあります。そのドローイングは「メランコリー独特の薄明かり」というあの体験の質を持っていると思います。私はそれがとても好きです！あなたがお持ちの絵も好きです。もし私の作品が「展覧会」のお呼びを受けるようなことがあれば、それら全部を送ってくださることを願っています。

　万事うまくいくことを願います。私はあなたを信頼していますので、何も心配しておりません。私は居場所を定めず、3年間話さないようにしています。これをどうしてもやり遂げたいのです。

　私は私の絵画のうち小品（昔のものも、良くないものも）をキンバル・ブラッド氏（#275 コネチカット06784 電話203. EL4.8828）に預けました。彼に私のドローイングを送ってくださいませんか？

　私はあなたの励ましとサポートに対して、感謝しようにも、それができません—。言葉が足りません—。苦しみなしに書くことができないのです。

敬具、アグネス

私の住所：c/o*ローズ・キャプト宛、パーク・ロウ15、NY市、NY10038

but, of course he was right. Anyway, you know...in this time of great change, when tedious work is becoming unnecessary, and new ways have to be provided for people, artmaking and art become essential. If the relationship of the artist to her community changes, then people can "be involved" in art in a way they are not now, and the artist can cease to be victim, the barriers between art forms will break down, the barriers between art "roles" will end. Anyway, that's what I'm thinking about. I am asking; What has to be accomplished during this decade so that the women artist no longer has to be double victim, victim as artist and as woman? Obviously, we need to intro- duce our historic context into the society...ie. make women's art history available in every school, develop a new way to speak about women's art and have that go on on a large scale, send teams of women trained in feminist educational techniques into the schools around the country to help women make contact with themselves and work out of themselves, disseminate lots of information on what 's going on, the new ways of thinking...all of that hopefully will happen out of the workshop. There are some fantastic women coming into it! God, I wish you were with us. Then, we'd really have the market cornered.

Enough...Love and kisses and all that,

Judy

This is definitely not a "cool" letter......

somewhere over the..... oh, no!
← Corny!

ジュディ・シカゴから、批評家兼キュレーターのルーシー・リパード（p.105）へのタイプライターによる3枚の手紙は、リパードが企画し、バレンシアのカリフォルニア芸術大学カルアーツ（CalArts）で開催された「女性によるコンセプチュアル・アート展覧会」への皮肉交じりの感想で始まる。1971年にシカゴとミリアム・シャピロはカルアーツでフェミニスト・アート・プログラムを開始した。21人の学生と共に、彼らはフェミニストたちの多様なインスタレーションやパフォーマンスを収容するため、ハリウッドにある荒れた老朽マンションを修理して、「ウーマンハウス」を作った。それは全米規模の広がりを持つ、最初のフェミニスト・アート・プロジェクトとなった。1973年、シカゴはロサンゼルスでフェミニスト・スタジオ・ワークショップを共同で設立し、その後4年をかけて《ディナー・パーティー》（サンフランシスコ近代美術館）を生み出した。「私は公的生活から撤退する」と語るシカゴからリパードへの手紙は、この節目の瞬間を特徴付けている。

Artist's Letter

ジュディ・シカゴ
（1939-）から
ルーシー・リパードへ
1973年夏

今日は、私の愛するルーシーへ

私は昨日、カルアーツでのあなたのショーを見ました。面食らったものの、気に入りました。あなたは私の一途なユダヤ人魂がいかに、コンセプト・アートのあらゆる知性と衝突しているかを、想像できるでしょう。中身がどろどろしていなければ私は理解できません。いずれにせよそのショーは本当に面白いと思いました。確かに男性によるコンセプト・アートとは異なり、より個人的でより主題と向き合っていて、より女性的だと思いました（中略）

多くの人たちがこの数年間、私の「政治活動」が私のアートの障害になっているのではと、私を非難してきました（中略）私は突然、気付きました。それは、私が何かしらの「"女性の役割"を踏み外している」と人が私にほのめかす感じに似ている、と…。現に「アートの役割」は存在しますが、私はそれを打ち破ることを心に決めています（中略）その役割は、アーティストが女性と同様に犠牲者であること…啓蒙に賛成することを要求します（中略）いずれにしてもあなたはご存知です…。この大きな変化の時代には（中略）アート制作やアートが本質的になる、ということを。もし、アーティストと彼女が属している社会との関係が変われば、その時、人々は今とは違った方法でアートに「関与」でき、アーティストは犠牲者ではなくなり、またアートの形式間の障壁は崩壊し、アートの「役割」間の障壁もなくなります（中略）私は問い続けています。女性アーティストがアーティストとしての犠牲者、そして女性としての犠牲者、この二重の犠牲者にならないようにするためには、この10年間に何が為されねばならないでしょうか？

明らかに、私たちは自分たちの歴史的コンテキストを社会の中に導入する必要があります。女性のアート史について全ての学校で触れることができるようにし、女性アートについて語る新しい方法を発展させ、それを大規模に継続させること。フェミニスト教育技術の訓練を受けた女性チームを全国の学校に送り、女性を自分自身と向き合わせ、自ら制作したり、現在進行中のことや新しいものの考え方に関する数多くの情報を普及したりすること。それらを支援すること、その全ては恐らく、ワークショップから始まるでしょう。そこに加わる素晴らしい女性たちがいます。

神よ、私たちと共にあることを。その時、私たちは本当にマーケットを社会の隅に追いやることになるでしょう。十分話しました…愛とキスとその他色々、ジュディ

CHAPTER5
LOVE

愛について

美しい人よ

Hey beautiful

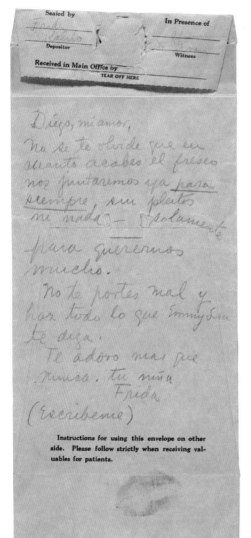

Diego, mi amor,
No se te olvide que en
cuanto acabes el fresco
nos juntaremos ya para
siempre, sin pleitos
ni nada, — Solamente
para querernos
mucho.
No te portes mal y
haz todo lo que Emmy Lou
te diga.
Te adoro mas que
nunca. tu niña
Frida
(Escríbeme)

Instructions for using this envelope on other
side. Please follow strictly when receiving val-
uables for patients.

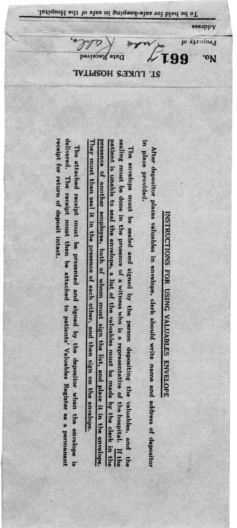

St. Luke's Hospital

No. 661

Date Received

Property of

Address

To be held for safe-keeping in safe of the Hospital.

INSTRUCTIONS FOR USING VALUABLES ENVELOPE

After depositor places valuables in envelope, clerk should write name and address of depositor
in place provided.

The envelope must be sealed and signed by the person depositing the valuables, and the
sealing must be done in the presence of a witness who is a representative of the hospital. If the
patient is unable to seal the envelope, a list of the valuables must be made by the clerk in the
presence of another employee, both of whom must sign the list, and place it in the envelope.
They must then seal it in the presence of each other, and then sign on the envelope.

The attached receipt must be presented and signed by the depositor when the envelope is
delivered. The receipt must then be attached to patients' Valuables Register as a permanent
receipt for return of deposit intact.

Sealed by   In Presence of

Depositor   Witness

Received in Main Office by
TEAR OFF HERE

愛について

フリーダ・カーロとメキシコの壁画家ディエゴ・リベラは**1928年**に初めて出会い、翌年に結婚した。彼らの強い絆は、リベラの数度の浮気とカーロの妊娠中絶によって張り詰めたものになった。カーロは、少女時代の交通事故で重傷を負った後、終生、病気に苦しみ（その短い生涯に**32**回の外科手術を受けた）、また子供をもうけることができなかった。リベラとの2度目の結婚式を控えたある日、カーロは検査のためにサンフランシスコのセントルーク病院にいた。病院にいる間、彼女は時計や宝石類を保管してもらうための封筒にこのメモをリベラに宛てて書き、それを彼のスタジオに残して出発した。リベラはサンフランシスコ・ジュニア・カレッジのためのフレスコ画《パン・アメリカン・ユニティ》に取り組んでいるところだった。カーロは**NY**に向けて出発しようとしていた。カーロはリベラに、2人の年下の友人でアーティストのエミー・ルー・パッカードにそむかないようにと、冗談まじりで助言している。パッカードはメキシコで2人と一緒に住んでいて、リベラのフレスコ画のチーフ・アシスタントとして働いていた。

フリーダ・カーロ（1907-1954）から
ディエゴ・リベラへ
1940年

Artist's Letter

ディエゴ、私の愛

　あなたがそのフレスコ画を完成させた時、私たちは永遠に一緒になることを忘れないで。口論や何もかもから離れて、ただお互いを愛するためだけに。あなたらしく振る舞ってください。また、エミー・ルーがあなたに言うことは全てやってください。

　私はこれまで以上にあなたが好きです。
あなたの少女フリーダ
（手紙をください）

CENSORED

Hey beautiful

Just got your letter - oh for just a chance to love you - could I love you — can't figure out whether I like the radio on or off - Je t'aime - God you mean a lot to me - it's never been like this before in my life. I cleaned the studio - made the bed - I like it so much - The white palette things are sort of in the middle of the room - I can't paint against the wall like you had them - I'm using the paint off your palette - I feel so close to you - I'm still working on that green & black thing - so slow and its so big - started a couple more little - nothing much - I keep thinking we could live here together but I mustn't think at all. Drank a bottle of bourbon with Guston last night - talked about painting - we don't agree at all but he was nice - he doesn't like Gorky or de Kooning - likes Mondrian & more intellectual or classic or whatever you call them things. I would like to paint a million black lines all crossing like Beckman - to hell with classicism - this is only momentary - beautiful - agony & not

1949年、NYに到着したジョアン・ミッチェルは、抽象表現主義者のたまり場所であるエイト・ストリート・クラブに参加するようになった。彼女より年上の世代のウィレム・デ・クーニング、フランツ・クライン、フィリップ・ガストンや、彼女と同い年で元兵士の抽象画家・マイケル・ゴールドバーグに出会った。1951年5月、ミッチェルとゴールドバーグは将来のギャラリスト、レオ・カステリが企画したナイン・ストリート・ショーに参加し、そこから熱烈な関係が始まった。この手紙は、2人の情事の恍惚とした夜明けの日々のもので、おそらくミッチェルの新しいマンハッタンのスタジオで書かれたものであろう。パティ・ペイジのヒット・シングル"ウッド・アイ・ラヴ・ユーWould I Love You"の「ああ、あなたを愛するチャンスのために」という一節の引用、ニュー・ギャラリーでの展覧会についての質問、「ずっと頭がクラクラ」しているというコメント*1からすると、この手紙は1951年の夏のものだろう。(ミッチェルのNYでの初個展は、1952年1月にニュー・ギャラリーで開かれた)。個人財産を持っていたミッチェルはゴールドバーグに、愛に加えてお金も約束している。おそらく無意識のうちに、「あなたをしっかり抱きしめるために/いつも私の目的地でした」といったペイジの歌詞が、彼女の最後の文章に反映している。

*1 訳者注:飲酒によるものと思われる
*2 著者注:[LIKEが]FUCKに変更される

Artist's Letter

SMR
1951
JOAN MITCHELL

ジョアン・ミッチェル
(1925-1992)から
マイケル・ゴールドバーグへ
1951年夏

水曜日

愛しい人よ

　ちょうどあなたの手紙を受け取ったところです。「ああ、あなたを愛するチャンスのために―私はあなたを愛してもいいでしょうか」―ラジオを聞きたいのか消したいのか、私には分かりません。私はあなたを愛しています。あぁ、あなたは私の全てです…私の人生に、このようなことが起こるなんて。私はスタジオを片付け、ベッド・メイクをしました。そうするのが大好きなのです。白のパレット類は部屋のほぼ真ん中にあります。あなたのパレットのペイントを使っています。私はあなたのように壁を背にしては描けません。あなたをとても近くに感じています。私は今もずっとあの緑と黒のものを続けています…そう、ゆっくりと。それは非常に大きいので、もう少し小さい、対になるものに着手しました。ただそれだけ。私たちがここで一緒に住むことができたら、と考え続けています。でも、考えてはいけない…。

　昨夜、ガストンと一緒に、バーボンを1本空けました。絵について話しても、全く意見が合わなかったけれど、彼は素敵でした。彼はゴーキーやデ・クーニングが好きではありません。好きなのはモンドリアンやもっと知的な人や古典的な人です。私はしばらく、あなたにお金を渡すことはできません。1週間かそこいらの間。その後、また。私はあなたが窓の敷居に残したビールを飲み、あなたにキスをしています…ええ、私はいつだってこうしています。それまで、どれくらいかかるでしょうか?(中略)私は今朝、公園で座っていました。あなたは私と一緒にいて、今まで話したことがないことや、これまで話してきた沢山のことについても、繰り返し話しました。私はあなたの手を握りました(中略)私はいずれにしてもニュー・ギャラリーが好き*2です。あなたはこれについてどう思いますか? 私はそこで展覧会を開くべきでしょうか? あなたなしには不可能です。死にたいくらい…。私たちはいつか部屋にキャンバスを並べ、そしてあなたは巨大な筆や大量の白と黒、そしてカドミウム・レッド・ディープを手にし、それら全部を一気に塗るでしょう。そして私はあなたに抱きつくでしょう。おやすみなさい―愛しています。J.

ma bien aimée, ma bonne julie. vous êtes un ange sur la terre.
combien vous me faites sentir mes torts, que j'ai de peine d'avoir
douté un moment de vos tendres sentiments a mon egard.
mais aussi quel bonheur est le mien d'entendre de vous mêmes
ces tendres assurances, non ma belle ne regrettez pas d'avoir
epanché votre coeur avec celui qui vous adore, et qui existe
et ne vit que par vous et pour vous; ma charmante amie
n'ayez donc plus de regrets avec moi, je n'aurai jamais pour
vous le moindre secret vous verrez toujours mon ame toute entière,
que de votre coté il en soit de même contez moi le sujet de
plaisir, comme le moindre petit chagrin, je vous consolerai du
mieux que je le pourrai, jusqu'a ce que les noeuds les plus
tendres nous uni[ss]ent a jamais; c'est moi qui suis malheureux,
ma tendre amie de ne vous plus voir, il m'est impossible
de vous l'imaginer, au point que si j'en avais les moyens
je repartirais pour paris, uniquement pour vous, mon aimable
amie; j'ai relu cent fois cette charmante écriture au crayon,
je vais continuellement de la lettre au portrait, et me semble
vous voir, je vous parle mais hélas, vous ne me répondez pas,
il n'est chez moi qu'un triste silence interrompu par le bruit
d'une cloche ou d'une pluie qui tombe par torrents, accompagnée
d'un tonnerre qui a l'air de protéger bruyamment du —
monde entier. je me suis couché a neuf heures du soir, et jusques

1806年6月、ジャン＝オーギュスト＝ドミニク・アングルは17歳のジュリー＝フォレスティエと婚約した。アングルはフランスの偉大で情熱的な画家ジャック＝ルイ・ダヴィッドと一緒に学んだことがあり、すでに職業画家として認知されていた。1806年のサロンでは《皇帝王座のナポレオン1世》（軍事博物館、パリ）を含む彼の5点の絵画が展示されていた。彼はまたローマ賞を受賞し、イタリアに向けて出発しようとしていたところだった。

10月、アングルはローマに到着したものの、彼のサロン出品作がアートの既成制度にうまく受け入れられなかったというニュースが入って水をさされた。彼の師ダヴィッドが、後に時代を代表する作品になる彼のナポレオンの肖像画を「理解できない」とはねつけてしまったからである。アングルはパリに戻る前に、自らがアーティストであることを証明するよう、試されていることを悟った。ジュリーとの長い別れの予感に加え、2人の関係に対する彼女の父親の反対、外国の都市に初めて到着したアングルの漠然とした孤独感、これらのこと全てが、ある種の感傷的な自己憐憫（れんびん）を伴って彼の手紙を染め上げている。翌年の夏、アングルは婚約を解消し、彼のサロン出品絵画が受けた不愉快な報道を非難した。こうして、アングルはその後18年間、イタリアに留まることとなった。

Artist's Letter

最愛の、親愛なる私のジュリー

あなたは地上の天使です。私に自分の欠点を気付かせてくれます！ あなたの私への優しい気持ちを、一瞬でも疑ったことを申し訳なく思っています。その優しい気持ちを聞いて、私は本当に幸せです。いいえ、私の愛する人よ。あなたを愛し、あなただけのために存在して生きる者に、あなたの心を注いだことを後悔しないでください。私の愛しい友よ、私に悲しい言葉を言わないでください。私は秘密にすることは何もありません。あなたはいつだって私のありのままの魂を見るでしょう。それはあなたも同じだと思います。どんな小さな喜び、悲しみも私に教えてください。私は最善を尽くして慰めます…深い愛情による誓いが私たちを永遠に結び付けるまで（中略）私は鉛筆で書かれたこの愛らしい手紙を百回も読みました。手紙を読んでから肖像画に目を移すと、あなたに会えたような気がします。私はあなたに話しかけますが、残念ながらあなたは答えません。私の家にあるのは、ただただ悲しい静けさだけで、鐘の音や、この世の全ての破壊を予感させるような雷を伴った、土砂降りの雨がそれをうち破ります。私は夜の9時にベッドに入り、起床する6時までベッドの中にいます。眠れずにベッドで何度も寝返りをうったり、泣いたり。始終あなたのことを考え、あなたの肖像画を見に行きます。そうすると少し落ち着きます。（中略）あなたのお父さんは、あなたに対してどれほど残酷なのでしょう！（中略）彼は私たちの優しいお母さん、フォレスティエとは違います。彼女は、私たちを心から愛しています。違いますか、愛しい人？（中略）私たちが彼女に誤解を与えてしまったことは確かです。でも私たちがどんなひどいことをしたというのでしょうか？ 何もありません。彼女がそれを知っていたら、私たちを叱ることすらできなかったでしょう。私の最愛の人…非常に苦しみながらも、恐ろしいまでの空虚さに耐える力を与え、また慰めてくれる全てのものを、今私から奪わないでください（後略）

ジャン＝オーギュスト＝ドミニク・アングル（1780-1867）からマリー＝アン＝ジュリー・フォレスティエへ
1806年10月18日

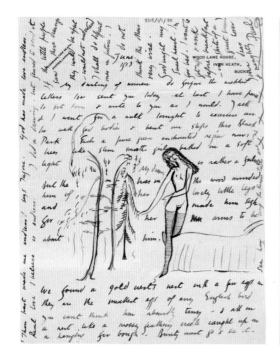

WOOD LANE HOUSE,
IVER HEATH,
BUCKS.

June
1913

ポール・ナッシュ
（１８８９－１９４６）から
マーガレット・オーデへ
１９１３年６月２５日

マーガレット・オーデはカイロで育った。20歳代前半にイングランドに移り住み、そこで彼女は婦人参政権運動に参加し、元売春婦のために婦人更生村を共同設立した。1912年、彼女はロンドンで、ポール・ナッシュの最初の個展で彼に出会った。翌年の夏、ナッシュとその弟のアーティスト、ジョン（ジャック）兄弟は、バッキンガムシャーの両親の家に滞在して、共同展覧会に向けて制作を行っていた。ナッシュがオーデへ宛てた数々の手紙（6月25日には数通書き送った）は、彼の勤勉な仕事習慣と、穏やかでエロティックな空想とがミックスされている。ナッシュはオーデの「社会運動家として激しく、かつ闘う人生」に心から理解を示す一方、この頃の彼は、インクと水彩によるドローイング作品が示すように、風景に対して叙情的な眼差しを向けている。古代の木々のシュルレアリスティックな写真や、風で運ばれる木蓮（もくれん）の花の絵を取り込んだナッシュの作品は、次の段階に入ると一貫して地霊（ちれい）にこだわり続けることになる。

ナッシュとオーデは1914年に結婚した。8月に第1次世界大戦が勃発すると、ナッシュはアーティスツ・ライフルズ*1に参加した。彼は1917年夏に病弱者として除隊させられたが、11月には公式の従軍アーティストとして西部戦線に戻った。彼の絵画《メニンロード》（帝国戦争博物館、ロンドン）は、機械化された戦争が自然に与える影響の、普遍的なイメージとなった。そこに描かれているのは森林が破砕され、焼けただれた株だけが残るゴルゴタである。

*1 訳者注：イギリス陸軍予備隊
*2 訳者注：バッキンガムシャーの略

Artist's Letter

ウッドレーンハウス、
アイバーヒース、バックス*2

私の最愛の女性よ、今日あなたに送ったひどい手紙を許してください。ようやく私は腰を落ち着け、あなたへ手紙を書く余裕ができました。ジャックと私は今夜、太った体を鍛えるために散歩に出かけ、緑の美しい魅力的なブラック・パークに足を運びました。柔らかい光を浴び、すべすべした少女のような木々…。私のドローイングはかなりの失敗作ですが、森の木々は彼に彼女の美しい小さな足を思い出させ、彼女が抱きついてくれたらとため息をつかせました。

私たちは卵が入ったキクイタダキの巣を発見しました。その卵はイギリス中の鳥の中で最も小さくバカバカしいほどですから、あなたには想像ができないでしょう。卵は全て、ぶら下がった毛皮のような太い枝に包まれた、あるいはコケに覆われた羽毛のゆりかごのような巣の中にあります（中略）

私は昨夜、色の付いた夢を見ました。何、誰とは思い出すことはできませんが、あなたが私と一緒にいることを感じます。でもそれ以上は想像することしかできません。ああベイビー、あなたはなんと愛おしく、共に過ごす日々はなんと新鮮なのでしょう。あなたの性格の美しさは会うたびにますます多くの側面を見せてくれます。あなたが私のつまらない話や説教の中から拾い上げたり、真面目に怒ったりするものを考える時に。他の多くの人たちと比べた時、あなたが貫いている人生はいかに過酷で闘争的なものであるか？ またあなたがいかに辛抱強く、勇気に満ち溢れているか？ それを考える時、私はたちまち自分を恥じ、誇りと喜びに満たされます。私のオーデ、私のオーデ、どんな風に私はあなたを愛したらよいのか。私があなたをいつも、そしてもっともっと愛せることに感謝します。（後略）
愛する恋人へ＆わんぱくポールより

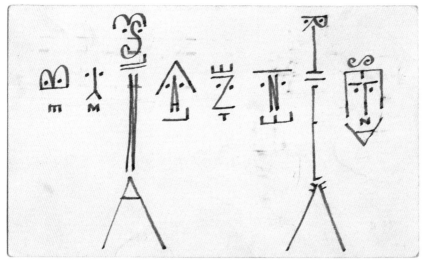

アド・ラインハルト（1913-1967）から
セリーナ・トリエフへ

1955年2月18日

セリーナ・トリエフが指導教師からこのバレンタイン・カードを5日遅れで受け取った時、彼女はブルックリン大学の20歳の美大生だった。アド・ラインハルトは、ベティ・パーソンズ・ギャラリーで展覧会を開く、既に地位を確立したアーティストで、このギャラリーではそれより先に、ジャクソン・ポロック、マーク・ロスコのほか、抽象表現主義の画家たちがそのキャリアを踏み出していた。ブルックリンでの仕事はラインハルトにそれなりの経済的安定性をもたらした。1930年代、ラインハルト自身が「オール・オーヴァー・バロック・幾何学的表現主義・パターン（all-over-baroque-geometric-expressionist patterns）」と説明するキュビスム風の表現で、彼は絵を描き始めた。しかし、1950年代初頭までには、単一色の地に長方形の色面が静かに浮遊する、ミニマルではあるが人を欺くような、繊細な「れんが状の絵画」を生み出しつつあった。やりたかったのは「純粋で、抽象的で、非対象的で、時間もない、空間もない、変化もない、関係性もない、客観的な絵画」であるとラインハルトは語っていた。

ポロックやデ・クーニングの作品とは異なり、ラインハルトの抽象アートには、常に理性的に熟考しているような感覚が見受けられる。ポロックにせよデ・クーニングにせよ、彼らのどちらかが、ラインハルトのようなバレンタイン・メッセージを作るとは、毛頭、想像できない。彼からトリエフへのカードは《抽象絵画：赤》（NY近代美術館）のような作品における空間分割に関係している。この作品は、赤の異なる色合いを持つT字型や、正方形と長方形の連結によって構築され、筆触は表面がなめらかになるように注意深く溶け合わされている。ラインハルトの手紙の文字遊びは、彼の有名な金言的（きんげんてき）で批判的な宣言の響も携えている。「芸術の終わりは、芸術としての芸術だ。芸術の終わりは終わりではない」。他の箇所と同様、ここで彼がどれだけ挑発的もしくは真面目なのかを正確に述べることは難しい。このバレンタイン・カードは、中年の指導教師から若い学生への、本当の愛のメッセージなのか、それともユーモアのあるゲームなのか、またはその両方なのか？いったい何が起こったのだろうか…？ ラインハルトは1953年に2度目の結婚をして、1歳の娘アンナをもうけていた。トリエフは約1年後に写真クラスで彼女の将来の夫に出会う。彼女は、ラインハルトとは違ったやり方だったが、アーティスト兼教師として長い経歴を持ち続けた。「抽象表現主義が好きだった程には、私はその一部であると感じたことは1度もない」と彼女は語った。

Artist's Letter

私の
セリーナ
になって欲しい
バレンタイン
トリエフ
セリーナへ

Darling,

<u>SARAM-WRAP</u>

<u>Drawing PAD</u>

{ Small pads-lined }
{ Large pads-lined }
{ for writing notes; }
{ not for drug. }
Peanuts; ~~Rhsdale~~

Myntz. or. something like.....
seron wrap

A recently discovered coffee
stained drawing; thought
to be of Nevo, as a child.

I love you, l.

ジュールズ・オリツキーは大抵、午後2時にスタジオに向かい、夜通し制作した。翌朝に寝たり、釣りに行ったりするためにスタジオを後にする時、彼は妻のクリスティーナ（ジョアンとも呼ばれる）にメモを残した。買い物リストや愛の伝言、またちょっとしたユーモア…ローマ人の顔に似せるためにボールペンで書き足されたコーヒーの染みのように（オリツキーは「子供の頃のネロ」と思った）、これらのメモの大部分は、日々のささいなことを共有するための記録で、重要な質問などを書き留める必要性や機会がほとんどないものばかりである。

ジュールズ・オリツキーはロシアに生まれた。彼の父親、ジェベル・デミコフスキーは、彼が生まれる数ヶ月前にソビエト当局によって処刑された。翌年、オリツキーの母親は彼を連れてNYに渡り、そこで再婚した。オリツキーはその後、彼を嫌った継父の名前を名乗った。第2次世界大戦中、兵役に就いた後、パリでアートを学び、彫刻家のオシップ・ザッキンと仕事をしたり、目隠しをした絵画の実験を行ったりした。1960年代に入るとNYに戻り、厚塗りによる絵画制作法を止める。キャンバスを強烈な薄い色彩で染めたり、注いだり、吹き付けたり、更に家庭用のモップやスキージ*1を使用したり、またキャンバスをますます大型化させながら、彼は若い世代のカラーフィールド・ペインティングの画家の中で、商業的に最も成功した1人になった。

オリツキーの開放的で落ち着いた抽象絵画は、スタジオ外での波乱に満ちた人生を覆い隠した。長期にわたるアルコール依存症と2度の離婚の後、彼は1960年、飲酒問題に取り組む彼を手助けしたクリスティーナ・ゴルビーと結婚した。オリツキーは、仕事の日課を彼の常習的な性格のもう1つの側面であるとみなした。「それは飲んだ時のようだ。やってもやってもまだ足りない。」このメモで彼がリストに記載した食料品は、ブルックリンのかつての掩蔽壕*2のような堤防で催すのが好きだったピクニックのためのアイテムのようだ。

彼が2度要望しているサランラップも、食料品用かアート用の、どちらかで必要だったのかもしれない。コーヒーの染み跡のあるドローイングは、間違いなく時間を切り詰めさせてしまっている人生のパートナーに対しての、言い訳と感謝を込めた贈り物である。

*1 訳者注：先端にゴムの付いたT字型の掃除用具
*2 訳者注：爆撃・爆風から人や物資を守るための壕のような施設

Artist's Letter

ダーリンへ
サランラップ
ドローイング・パッド
小パッド一冊あり、大パッド一冊、メモ用ノート（ドローイング用ではない）
クラスデールのピーナッツ
（ミンツ、または似たもの…サランラップ）
最近見つけたコーヒーの染みのついたドローイング。子供の頃のネロだと思った。
愛してる、J

Mon très cher ami

La cire et le sucre valent bien le bronze (et le marbre — Notre Seigneur a-t-il une ligne écrite ? et la réalité de l'esprit l'emporte sur la réalité accidentelle des faits. Je n'écrirais plus si mes livres ne me valaient pas de ces amitiés qui tombent du ciel comme la vôtre. Pour moi toutes les choses arrivent la veille de 25 décembre. Votre lettre est une étoile. Pourquoi me demandez-vous la permission de se faire une joie ? Figurez-vous que j'habite une clinique — (La chambre des tortures) La 2e fois j'essaye de vivre sans le opium (on ne le coupe — c'est très dur) j'en vente n'obstiné à confondre une âme infirme avec des troubles nerveux. Écrivez — Écrivez moi. Si je saute les étapes, c'est que mon œuvre est moi même et que vous êtes l'ami de mon œuvre.

Je vous embrasse ☆ Jean Cocteau

ジャン・コクトー（1889-1963）から
不詳の人へ
1928年12月

1928年12月5日、ジャン・コクトーは、アヘン中毒を治療する2度目の挑戦のために、パリ西部郊外のサン＝クルーにある一流のクリニックに入院した。彼は5年前に恋人レイモン・ラディゲが腸チフスによって突然亡くなった後、薬を使い始め、1925年3月に最初の治療を試みた。薬物へ近付くことが許されなかったコクトーは、12日間連続して夜、眠ることができなかった。

第1週が過ぎると、彼は友達と連絡を取り始めた。ガートルード・スタインは観葉植物の贈り物で応え、ピカソはドローイングを数点送った。コクトーの新しい恋人ジーン・デボルデは、同じクリニックで別々に治療を受けていた。もう1人の友人は大富豪のレーモン・ルーセルという超偏心的な実験的作家で、コクトーは彼と手紙でコミュニケーションを取っていた。ドローイングの上に書かれたこの手紙は、12月中旬の「この恐ろしい夜」の間にしたためられた。コクトーがクリスマスの直前に受け取った新しい賞賛者からのファンレターに対する返信のようにも読める。この手紙の宛先はデボルデと推測されているが、コクトーがクリニックに居ること、また彼が再度「アヘンなしで生きようとしている」ことについて、恋人でしかも同じ病院にいる彼に知られる必要はなかっただろう。

［ココ・］シャネルが診療代の支払いを止めた1929年4月、コクトーは退院してパリに戻った。彼はすぐに『アヘン：治療日記』を書き始め、またほんの18日間で『恐るべき子供たち』（子供たちのゲーム）を書き上げ、それは7月に出版された。ポールとエリザベスという兄妹の物語で、2人は彼らの友人と恋人たちが引き込まれるもう1つの現実「ゲーム」を生み出す。彼らの「子供時代の奇妙な世界」に適用されるルールは、「アヘン常用者の目覚めの夢」のようなものだ、とコクトーは書いている。

Artist's Letter

私の最愛の友

蜜蝋（みつろう）と砂糖は、青銅と大理石と同じくらいの価値があります。私たちの王は、線を1本引いて残したのでしょうか？ そして精神にとっての現実は、思いがけない事実の現実よりも重要です。私の本があなたのように、天からこぼれるような友情でこの私に報いてくれないのであれば、私は書くのを止めるでしょう。私にとって良いことはすべてクリスマス・イブに起こります。あなたの手紙は星です。なぜあなたは、私に喜びをもたらすための許可など求めるのでしょうか？ 私が今、クリニックで寝起きしていることをご理解ください（それは拷問部屋です）。私は再度、アヘンなしで生きようとしています（彼らはそれを完全に遮断してしまいました。本当に過酷です）。正直なところ、私は精神病と神経障害を混同し続けています。

書いて…私に手紙を書いてください。私があなたより先を行っているのなら、それは私の作品が私自身であり、あなたは私の作品の友だからです。
あなたにキスを、ジャン・コクトー。

私はサン・クルーでのこの恐ろしい夜の間、全面にドローイングが描かれたスクラップ・ペーパーを1枚持っているだけです。

photographs. I know what he means —
I wonder if you'll ever see them — & if
you do whether you'd feel anything —
they are very simple — not at all aggressive
— & small eyes — Hardly for walls.

Then there is a wonderful Rodin
drawing — a Woman — I call it
'Mother Earth' I have which few have
ever seen — that too I want you
to see —

— From 10 till after
midnight we walked on
Fifth Ave — along the Park —
the while talking — I was watching
the fascinatingly weird trunks of the
trees — weird because of the

electric lighting — I've often wanted
to make a photograph of what I saw
— I've watched them for 20 years —
they have always fascinated me — the
shapes — a sort of intertwining —
with light as an envelope — the huge
buildings merely suggested way beyond the
Park — a haze over Park & distance —

But I don't do so many things I
want to do. —

We walked quite a distance
down first up — Life — etc —
he — you — I — all talked of —
not as things or individuals —

just as one talks about the Sky &
Ocean — & trees — Stars too —

アルフレッド・スティーグリッツは、アメリカの写真をヨーロッパのアバンギャルド・アートと同じレベルに引き上げ、展覧会を通して両者を普及させたいと考えた。彼が1905年にマンハッタンの5番街291に写真家エドワード・スタイケンと一緒に開いたフォト・セッションの小さなギャラリー（単に291とも呼ばれる）は、アメリカの観客にモダン・アートを紹介した。スティーグリッツはオーギュスト・ロダン、アンリ・マティス、パブロ・ピカソに、アメリカでの最初の展覧会の機会を与えた（1912年のマティスの史上初の彫刻展を含む）。この当時スティーグリッツはほとんど発表していなかったものの、自らの写真作品も追求していた。

1916年、スティーグリッツは若いアーティスト、ジョージア・オキーフ(p.153)の作品を展示し始め、やがて恋に落ちた。1917年の春、オキーフが291で個展を開いた後、彼女に手紙を書いている。経営難のために永久にギャラリーを閉じる直前のことだった。彼は写真や、写真に対する考えを説明している。ジョージ湖近くの両親の家の周りのこと、友人のジョゼフ・フレデリック・デワルドと一緒にマンハッタンの通りを歩き回ったこと。彼が思い起こす木々や街灯、セントラル・パークにかかる夜の靄などのシーンはまさに、スティーグリッツの写真の雰囲気そのものである。

Artist's Letter

（前略）仕事を始める前、つまり6月30日までにここを出て行く準備をするとしたら、それは休む間もない忙しさを意味します。私はこの手にあなたを抱きしめたい…両手でなくともいいから。そして、ただあなたの目を覗き込むでしょう。目に悲しさが溢れていないか、あるいは、悲しみが少しでも和らいでいないかを見るために（中略）

昨夜、デワルドが家にやって来て、私の写真を何枚か見ました。木々や肖像写真を2～3枚です。デワルドと共にそれらを見たように、私が撮った木々の写真をなぜあなたに見せようと思わなかったのだろうか？ 特にジョージ湖で撮った1枚を、291の裏窓からの雪の写真を。しかしあなたがここにいた時、私は自分の作品については考えていませんでした。私は作品を誰かに見せたりは、めったにしない…。デワルドは、私の作品にはあまりにも多くの愛、そしてあまりにも多くの私自身が感じられる、と言います。彼が何を言おうとしているのか分かります。あなたがいつかそれらを見てくれたら、と思っています。もしあなたが見たらどう感じるか？ それらは非常にシンプルなものです。まったく攻撃的なものではありません。表現が控えめなので、壁用には向きません。

それからロダンの素晴らしいドローイングがあります。女性を描いたもので、私はそれを「母なる大地」と呼んでいます。

10時から真夜中過ぎまで、話をしながら公園に沿って5番街を歩きました。私は電灯のせいで不思議な魅力を放つ、木々の幹を見ていました。私は見たものの写真を撮りたいと思っていました。（中略）絡み合っているような形、まるで包み込まれるような夜。大きな建物はわずかに公園の向こうへの道を教えるだけ。そして公園を覆う霞や、遠くの景色。

しかしたとえ望んだとしても、そんなにたくさんのことはできません。私たちはかなりの距離を歩きました。全てはまず、やってみてから。人生のこと、291のこと、彼のこと、そしてあなたのこと、私のこと…全てについて話しました。物として、あるいは個人としてではなく、ちょうど人が空と海について話すように。木々について、星について話すように（略）

アルフレッド・スティーグリッツ
（1864-1946）から
ジョージア・オキーフへ
1917年6月9日

I wonder if you are thinking of me — it seems
so still and so lonesome here in the room alone
——————— the singing things singing outside,
and it will be so dark when I put the
light out
              but I feel very close to you yet
my dear — you seem to be with
me — Dearest
                    good night
        a kiss

ジョージア・オキーフは、1908年にNYを訪れ、アルフレッド・スティーグリッツの291ギャラリーに足を踏み入れた時には、オキーフは既にシカゴで商業アーティストとしてのキャリアを開始していた。スティーグリッツはその時、先駆的な写真家、編集者、執筆家として、20世紀初頭のアメリカ・アヴァンギャルド台頭期において最も影響力を持つ人物だった(p.151)。6年後、職業訓練の教師として一時的にNYに戻ったオキーフは、「私の頭にあるもの」を大画面に木炭で描くドローイング・シリーズの制作を開始する。友人がその中の数点を持ってスティーグリッツのところへ行くと、彼はそれらを291のグループ展に含めた。しかし、ギャラリーの壁に自分のプライベートなイメージが展示されているのを見て「驚き、ショックを受けた」オキーフは、不平を言い続けた。

スティーグリッツはオキーフに夢中になった。「あなたの写真を撮りたくて仕方なかった」と彼は1917年6月に書いている。「手、口、目、黒い服に包まれたあなたの姿を」と。1917年、291の最後の展覧会(オキーフにとっては最初の個展)の後、スティーグリッツは彼の新しいミューズを駆り立てられるように撮影し始めた。彼の妻エメラインは、25年に渡ってスティーグリッツのさまざまな冒険を経済的に支えてきたが、1918年の夏、彼は妻と別れ、オキーフと共に小さなアパートに引っ越した。この短いシンプルな愛の手紙は、2人が暮らし始めた最初期のもので、オキーフの他の長い手紙に見られるような、自由奔放で魂が燃えるほどの赤裸々な文彩は持っていない。

オキーフとスティーグリッツは1924年に結婚。しかし、お互いが夫婦として過ごした時間は、2人が離れていた時に交換した情熱的な手紙ほどには楽しいものではなかったようである。カリスマ性を持ったスティーグリッツは自己陶酔的で、オキーフが切望していた子供を産むことを嫌がった。1929年以降、彼女はニューメキシコで過ごすことが多くなった。その夏、彼女はタオスから彼に手紙を書いている。「ここでは少なくとも気分がいいので、私は[そちらを]去ることにしました。私は成長し、心もまっすぐになっていくのを感じています。その代わり、あなたは私を愛さなくなるでしょう。でも私にとってはそれが、あなたのためにできる最善であるように思います。」スティーグリッツは、彼女のこの決意が彼を「破壊した」と、彼女に告白した。

スティーグリッツが1946年に死んだ後、オキーフは2人の交信の多くを保存し、最終的にイェール大学バイネッケ図書館に寄託したが、それには彼女の死後20年の間、公開してはならない、という遺言が付けられていた。2006年、オキーフとスティーグリッツによって交わされた、便箋にして約25,000枚の親密な手紙が一般に公開されたが、手紙のやりとりは数週間に渡って毎日、続けざまにということもしばしばであった。

* 著者注：天地逆の書き込みは、スティーグリッツのものか？

ジョージア・オキーフ(1887-1986)から
アルフレッド・スティーグリッツへ
1918年夏

Artist's Letter

あなたは私のことを考えているのかしら？ 部屋の中に1人でいるととても静かで、とても寂しい。誰かが外で歌っている。私が明かりを消した途端、とても暗くなる。でもとにかく、あなたのそばにいる感じがします。まるであなたと一緒にいるような気がします。お休み、最愛の人、キスを。

*
あなた

1880年、フランス政府はオーギュスト・ロダンに、[パリに建設予定だった]装飾美術館の巨大なブロンズの扉を2枚制作するよう依頼した。フィレンツェ大聖堂の洗礼堂にあるロレンツォ・ギベルティの《天国の門》を意識的に連想したロダンは、その主題をダンテの神曲から取り上げた。彼は《地獄の門》に20年間関わり続けることになる。途中、作品が美術館によってキャンセルされた後も制作を継続し、アシスタントとモデルの小集団も抱えていた。1882年、友人の彫刻家が、自分が海外に出ている間、才能ある学生カミーユ・クローデル（p.157）を指導するようロダンに依頼した。クローデルはロダンの《地獄の門》チームに加わり、表情に富む手のモデリングという難しい仕事を与えられた。

ロダンがクローデルに夢中になると、彼女の顔立ちが門の人物の顔立ちに現れ始めた。しかし彼女は、彼が口説くのを拒み続けた。ロダンには名声があり、彼女よりはるかに年上で、しかも永年連れ添う愛人、ローズ・ビューレットがいた。いずれにせよ、クローデルは人に頼らず彫刻家になることを決意した。冒頭の「私の残酷な友人」で始まるこのラブレターで、ロダンは考えつく限りのあらゆる角度からのアプローチを試みている。哀れな私という自己憐憫（じこれんびん）や精神的な愛の明言、そして性的な愛の示唆…。彼はメタファーを交え、文法を無視し、署名を終えた。そして最後に再び書いた「あなたの愛おしい体の前でひざまずく」という彼自身のイメージはまさに、元々「門」のために考案された彼の彫刻《永遠の偶像》の男のポーズさながらである。

オーギュスト・ロダン
（1840-1917）から
カミーユ・クローデルへ
1886年頃

Artist's Letter

（前略）気が狂うほどに、あなたを愛している。私のカミーユ、私には他の女性への感情がないこと、そして私の魂は全てあなたのものであることを信じてください。

あなたを納得させることができず、私の理性はあてになりません。あなたは私の苦しみを信じていない。私は泣き、あなたは疑っています。私はもう長い間、笑っていません。歌うこともありません。すべてが単調で退屈です。私はすでに死んだも同然です（中略）毎日あなたに会えないでしょうか？ それは善行になるでしょう。そしておそらく、もっと良いことが私に訪れるでしょう。あなただけが、その寛大さで私を救うことができるからです（中略）

私はあなたの手にキスをします。私の親愛なる友人、あなたの側（そば）にいると、尊くて強い喜びを感じます。私の魂は力に満ち溢れると同時に、愛の熱で、あなたへの敬意はいつも最高潮になります。あなたの人柄に対する尊敬の気持ちは、私のカミーユ…私の激しい情熱の源です（中略）

私はあなたに会う運命でした。全てが不思議な新しい命を帯び、無彩色だった私の存在は、喜びの炎で明るく燃え上がりました（中略）

あなたの愛おしい手を私の顔に置いてください。そうすれば、私の肉体は幸せを感じることができ、心は再び、あなたの神聖な愛で満たされるでしょう。私はあなたの側にいるとき、そのような陶酔状態の中に生きているようです（中略）カミーユ、たじろぐ手ではなく、あなたの手を…。もし、それがあなたのわずかな優しさの証でないのなら、その手に触れても幸福はありません。

ああ、神のごとく美しい人、語ったり愛したりする知的な花…私の愛する人。あなたの愛おしい体の前で私はひざまずき、あなたを抱きしめます。私の最高の人、私の最愛の人へ。

R

Monsieur Rodin
Comme je n'ai rien à faire je vous écris encore.
Vous ne pouvez vous figurer comme il fait bon à l'Islette
J'ai mangé aujourd'hui dans la salle du milieu (qui sert de serre) où l'on voit le jardin des deux côtés. Mme Courcelles m'a proposé (sans que j'en parle le moins du monde) que si cela vous était agréable

vous pourriez y manger de temps en temps et même toujours (je crois qu'elle en a une fameuse envie) et c'est si joli là!.
Je me suis promenée dans le parc, tout est tondu, foin, blé, avoine, on peut faire le tour partout c'est charmant. Si vous êtes gentil, à tenir votre promesse, nous connaîtrons le paradis.
Vous aurez la chambre que vous voulez pour travailler. La vieille sera à nos genoux, je crois.
Elle m'a dit que je

prendre des bains dans la rivière, où sa fille et la bonne en prennent, sans aucun danger.
Avec votre permission, j'en ferai autant car c'est un grand plaisir et cela m'évitera d'aller aux bains chauds à Azay. Que vous seriez gentil de m'acheter un petit costume de bain, bleu foncé avec galons blancs en deux morceaux blouse et pantalon (taille moyenne) au Louvre ou au bon marché (en serge) ou à Tours!.
Je couche toute nue pour me faire croire

que vous êtes là mais quand je me réveille ce n'est plus la même chose.
Je vous embrasse
Camille
Surtout ne me trompez plus.

カミーユ・クローデル
（１８６４ー１９４３）から
オーギュスト・ロダンへ

１８９０年、または１８９１年夏

オーギュスト・ロダンの生徒になり、その後、彼の助手そしてモデルになった若い彫刻家カミーユ・クローデルは、ついに彼の恋人になった。彼らの関係は、ロダンの愛人ローズ・ビューレットや世間の目から逃れる必要があるため複雑だった。5〜6年間情事を続けた後、1890〜1891年に、クローデルとロダンはロワール渓谷に隠れ家を見つけ、そこでまとまった数週間を、誰からも邪魔されず一緒に過ごすことができた。

イスレット城は、水と公園に囲まれた16世紀の館だった。彼らは2階の部屋をまとめて借り、そのうちの数部屋はスタジオ・スペースとして使われた。ロダンは最も大きな部屋でバルザックの記念碑を制作し、他方、クローデルは少女の彫刻《ラ・プチ・シャトレーヌ》を、城の所有者の孫娘をモデルに制作した。

城を空けたロダンへクローデルが書いた手紙は、イスレット城にいる彼女を想像するように誘っている。クローデルは愛を示しつつ「ムッシュ・ロダン」と呼びかけている（クローデルはあなたと呼ぶときに正式な2人称vousを使用しているが、ロダンは初期のラブレターでは、くだけたtuを使用している：p.155）。パリのデパートをいくつか紹介しながら、自分が希望する水着の形と色を見つけられるか？と尋ねる。私たちは、ル・ボン・マルシェの女性用水着カウンターのロダンを想像してしまう。そこで「偉大な人体彫刻家」は、彼女を想像しているのかもしれない。クローデルが書いているように、裸になってベッドで彼の帰りを待つ彼女のことを。

Artist's Letter

ムッシュ・ロダン

何もすることがないので、またあなたに手紙を書いています。イスレット城はどれだけ気持ちがいいか、あなたには想像できないでしょう。今日は、中央のダイニング・ルーム（温室も兼ねています）で食事をしました。そこからは両側に庭が見えます。マダム・クールセルズは私に（私はそのようなことを言ったわけでもないのに）「あなたが望むなら、時々そこで食事をしてもよろしいですよ（彼女は本当にこれを愛していると思います）、とても素敵ですよ!」と言ってくれました。

私は大地を歩きました。どこも刈り取られていましたが、干し草、小麦、オート麦の畑を。あなたも散歩することができます。素敵です。あなたが約束を守ってくださるほどに優しいなら、それはきっと天国のようなものです。

どこをとっても、あなたが仕事をしたくなるような部屋があります。私の推測ですが、先に触れた年のいったマダムは、あなたの足にキスをすると思います。彼女は、川で沐浴ができますよ、と言っていました。その川で自分の娘とメイドが安心して沐浴しているそうです。

もしあなたがよろしければ、私も彼女たちと同じことをしたいです。それはとても楽しそうで、温泉に入るためにアゼイまで行く必要がありませんから。小さなツーピースの水着を買ってきてくださる？ ダークブルーで白の飾り付きのものを、そしてミディアム・サイズのブラウスとショートパンツをお願いできたら。ルーブル百貨店またはセルジュにあるル・ボン・マルシェ、もしくはツアーでなら。

私は何も着ないで寝ます、あなたがそこにいる気になれるから。でも私が目を覚ますと、やはりあなたはいません。あなたにキスを、カミーユ。

何より、私をこれ以上惑わさないで。

Tues/

my dear / think
of you all the time
I am in the middle
of a ptg & the post
goes in a moment
suddenly I missed
you & so here's
a note!
Oh I am looking
forward to seeing
you
again

it is sunny + a
very high wind
such a gay day
Winifred is painting
happily,
Kate & Brumwell
suddenly put their
head in at my
window this morning
I love you dear
B

so nice to have you
letter this morning

ベン・ニコルソン（1894–1982）から
バーバラ・ヘップワースへ
1931年秋

1931年、画家ウィニフレッド・ロバーツと結婚していたベン・ニコルソンは、若い彫刻家バーバラ・ヘップワースと関係を持ち始めた。1932年、ニコルソンはウィニフレッドと離婚し、ヘプワースと共にロンドン北部のハムステッドのスタジオに移った。そこには隣人として、前衛アーティスト、ポール・ナッシュやヘンリー・ムーアが住んでいた（p.143、169）。

この手紙は、ニコルソンとヘップワースの恋愛関係の初期の頃、おそらく1931年9月の休暇の直後のものであろう。休暇中ニコルソンとヘップワースはノーフォークで、ムーアとその妻のイリーナ、その他のアーティストの友人たちと共に過ごしていた。スナップ・ショットには、彼らがビーチで裸になってボール遊びを楽しんでいる光景が写されている。ニコルソンは、彼の友人でありパトロンであるマーカスとルネ・ブラムウェル夫妻に言及している。

Artist's Letter

火曜日

愛する人へ

　私は絵を描いている時、いつもあなたのことを考えています。あなたがいなくて寂しくなった途端、手紙を書きたくなる…それがこの手紙です! また会えるのを楽しみにしています。

天気は晴れ、でもひどい強風…そんな愉快な日です。ウィニフレッドは幸せそうに絵を描いています。

　ルネと［マーカス・］ブラムウェル［夫妻］が今朝、突然訪ねて来ました。

愛しています、ベン。

　今朝、あなたの手紙を受け取りました。とてもうれしいです。

Thor's day –

Dear Lord of the underworld, the Princess of Pastachuta & Zabaglione Rivera disguise sends with her greetings the enclosed handsome drawing of Ulric going to the dogs, it is by her own hand and although the heart was away on a holiday, careful investigation will reveal not only tracks of black and white, but that subtle aroma of doubtful divinity which she has made so personally her own. She hastens to add (in case you should think ought to the contrary) that it is intended to embark 'Shipwreck' well on the way to glory. If you think this doubtful, write a post-haste letter & it more will be at your door. That is, unless in her effort to make things smaller, she has already succumbed, will you love your Princess when all that is left is an inch of Pastachuta?

Allegra S.O.S.

1926年、ロンドンのスレード美術学校を卒業したアイリーン・エイガーは、ハンガリーの作家ジョゼフ・バードと出会った。その時バードはまだアメリカの辛辣なジャーナリスト、ドロシー・トンプソンと結婚していた。1928年から1930年にかけて、エイガーとバードはパリに住んでいた。そこで彼女はアンドレ・ブルトンや他の著名なシュールレアリストたちと親しくなった。厳格なアカデミック・アート教育を受けていたエイガーにとって、シュルレアリスムとの出会いは、キャリア形成の上での啓示だった。エイガーが北西イタリアでの休暇中に書いた、バード宛のこのなんとも不可解な手紙には、《犬のところに行くウルリック》という題名のドローイングが同封されていた。また「シップレック」とは、1928年の春に出版されたバードの小説『ヨーロッパのシップレック』を指している。エイガーは彼女の日記にアメリカの新聞広告を貼り付けた。そこには「バード氏がフロイトのコンプレックスについていい記事を書いている」「アンダーワールドの王は期待通り」と書かれていた。パスタクタとは、野菜、肉、スパイスのソースをかけたパスタのことである。

Artist's Letter

トールの日
親愛なるアンダーワールドの王、

パスタクタの王女とザバグリオーネ・リベラリーグレは挨拶状と共に、《犬のところに行くウルリック》という美しいドローイングを同封して送ります。ドローイングは彼女自身の手描きによるものです。休日で頭はどこかに行っていますが、注意深く調査すれば、白と黒のマークのみならず、彼女自身が個人的に作った、あの神性で怪しい微妙な香りも明らかになるでしょう。（あなたが逆に、乗るべきだと考える場合は）彼女は栄光へ至る道の途中で「シップレック」にうまく乗るつもりでいることを、急いで追加します。もしあなたが、これは怪しいとお思いなら、大急ぎで手紙を書いてください。もう10通があなたの家に届くでしょう。つまり、彼女が物事を収めようと努力しない限り、彼女はすでに負けてしまっているのです。残っているのがこれっぽっちのパスタクタだけだったら、あなたは王女を愛するでしょうか？

CHAPTER6
PROFESSIONAL MATTERS

お 金 の こ と

Artists' Letters

私の
1224 ギルダー

My 1244 guilders

ニコラ・プッサン（1594−1665）から
ポール・スカロンへ
1650年頃

1624年に母国フランスからローマに移住したニコラ・プッサンは古典文学を主題とする絵画で評判を得た。バロック・アートの過剰さとは対照的に、プッサンは美しくバランスのとれた、穏やかな風景や建物のある情景の中に、ドラマや激情の瞬間を切り取る方法を試みた。1640年、ルイ13世によって呼び戻されてパリに還り、そこでポール・フレアール・ドゥ・シャントルーなどのフランスのアート・パトロンにもてはやされた。詩人であり劇作家でもあるポール・スカロンは、シャントルーを通して、プッサンに絵を注文した。しかし、プッサンはその注文の納期を引き延ばすことに全力をあげた。というのもプッサンはスカロンと彼のパロディ劇を軽蔑していたからである。1649年に再びローマに戻ったプッサンはようやく、この手紙が触れている《聖パウロの昇天》（ルーヴル美術館、パリ）と名付けられる絵画に着手した。

この手紙は、今は失われた聖パウロの絵に関係するもので、フレアール・ドゥ・シャントルー宛てのものと考えられて来たが、実際には恐らくスカロン宛のものだろう。プッサンはクライアントの好みや希望に極めて敏感で、また、スカロン嫌いではあったが、彼に弁解または少なくとも説明が必要だと感じていたようだ。プッサンの手紙の断片的な草案は、子供たちに囲まれた聖家族、聖エリザベス、幼児の洗礼者聖ヨハネの絵の周りの空白スペースを、背景となる湖や小さなイタリアの町で埋めている。プッサンが自ら作り出したような風景である。

Artist's Letter

（前略）あなたのための聖パウロの絵が入った箱を、専門の運送業者によってお届けしなければなりません。あなたがプチ社に「支払いをして絵を送ってもらうように」と指示してから経過した時間を埋め合わせなければなりません。私はあなたからの報せを毎日待っていました。私がたまたまプチ社の1人に会った時、こう語りました。「あなたがムッシュ・スカロンのために制作した絵画の代金として、ピストール金貨50枚をあなたに支払うように頼まれたことを思い出した。私はこれを6週間前に果たすべきだったが、刑務所にいたのでそれについて全く忘れていた」と。

正直な銀行家など、この世にいないのでありませんか？　これが恐らくあなたを悩ませて来た、永々と続いた遅延の原因であることを、あなたはお分かりでしょう（中略）ようやく、私は、あなたのために描いた聖パウロの代金として先に触れた、あなたもご承知のピストール金貨50枚を受け取りました。その絵を鉄製の箱で梱包し、更に箱に入れて最高の状態でプチ社に託しました。彼らはいつもの運送業者で明日あなたに送ると約束しました。あなたがこの作品をご覧になりましたら、あなたの率直なご感想を手紙でお教え頂きますよう、切にお願い致します。もし、あなたのお気に召しましたらこの上ない幸せです。

My dear Sir

M.rs F & myself may probably take a drive to Town
before our final return, but as it can not be tile after
the opening of the Academy to Morrow, have the
kindness to inform Strowger that the group of
Haimon & Antigone & the Hermaphrodites are
the figures I chose for the candidates, & that I
told Thomas so, before I set out —

it is very Odd if I did not inform You of the
exact number of Plates wanting in my Friends Copy
of Sepp: I think they are the four last plates
the Frontispice & Prefatory stuff of the Fourth,
with the Three first ones of the Fifth Volume —
In hopes of seeing You soon, we are

My dear Sir
ever Yours
S. & M.rs Fuseli

- Monday 29 Sept.r 23.

ヘンリー・フュースリー（1741−1825）から
不詳の人へ
1823年9月29日

　1764年、ヨハン・ハインリヒ・フュースリーは、文学的大望を抱いてロンドンに到着した。しかし彼には元々ドローイングの才能があったので、ジョシュア・レノルズ卿（p.173）にアートのキャリアを追求するよう勧められた。イタリアで古典並びにルネサンスのアートを学び、生まれ故郷チューリヒに短期間だけ戻った後、フュースリーはロンドンに腰を落ち着け、自分の名前を英語表記化すると共に、歴史画家としての地位を確立した。1799年までに、彼はアート機関の頂点に昇り詰め、王立アカデミーの絵画教授、その後1804年にはギャラリー長に就任した。82歳の震える手で書かれたこの手紙は、王立アカデミー学校の学生たちが提出しなければならない絵画の古典主題に触れると共に、守衛長のサミュエル・ストロージャーに言及している。フュースリーが、図版が無くなっている（「欠けている」）ことに触れている本とは、おそらくクリスティアン・セップ、ヤン・クリスティアン・セップ、ヤン・セップの3人による自然史銅版画の豪華な概論『オランダの鳥類』の5巻本であろう。ソフィア・フュースリーはアーティストで、以前はアーティストたちのモデルを務め、彼女よりはるかに年上の夫にとっての、ロマンチックなミューズだった。

Artist's Letter

親愛なる卿

　F夫人と私は最終的に戻る前に、馬車で町に出るかもしれない。しかし明日アカデミーが開くまで戻れないので、ストロージャーにどうか知らせて欲しい。ハイモーン*1とアンティゴネー*2の群像並びにヘルマプロディトス*3が、私が候補者のために選んだ人物像であること、そして私が出かける前にトマスにそう言ったことを。

　大変気にかかっているのだが、私の友人セップの本の、欠けている図版の正確な数をあなたに教えただろうか？　私が記憶しているのは、第4巻の最後の4点の版画、口絵、序文のようなところ、それに5巻の最初の3枚だ。

お互いにすぐにお会いできることを願いつつ。

　　　私の親愛なる卿、永遠の親友より
　　　　　　　　　S&ハイ・フュースリー

*1 訳者注：ギリシャ神話のテーバイ王クレオーンとその妻エウリュディケの息子
*2 訳者注：ギリシャ神話のテーバイ王オイディプスの娘
*3 訳者注：ギリシャ神話のヘルメースとアプロディーテーの息子で、後に両性具有者となる

Sunday Nov 9th 1941.

Hoglands
Perry Green
Much Hadham
Herts.

De̶a̶r̶ ̶ ̶ ̶ ̶ ̶ I got your letter yesterday, enclosing Keynes reply & your letter to him about the C·A·S drawings of mine on exhibition at the Ashmolean

It's difficult for me to be sure without seeing the actual drawings just what he has got mixed up. There were quite a few mistakes at first in the catalogue of the Temple Newsam exhibition, which I went through & corrected with Hendy on the opening day — but I haven't got a copy of the corrected catalogue to help me. But you are right in thinking that the number of my drawings Mr Keynes got for the C.A.S. was six. & he bought for himself 3 from me at the same time. His three I sent to Leeds & am pretty sure I wrote on the back that they were lent by him, & I think his three were called in the Leeds catalogue.

① Air Raid shelter — Three sleepers.

(this is of 3 people sleeping something like this →

② Air raid shelter — Sleepers.

(more or less monochrome drawing in mauvish blue grey)

③ Air raid scene

(a smaller drawing than the first two, of 3 figures, one standing one seated & one reclining with a background of 'blitzed' houses. — the figures are drawn o̶r̶ & touched up with pen & ink — the whole drawing is pinkish brown — or terracotta pink

This no ③ seems as though it is one sent by mistake t̶o̶ Oxford & if it fits this description, it belongs to Mr Keynes. Do you know if

1941年の第2次世界大戦中、ヘンリー・ムーアは「公式戦争アーティスト」*1となり、ロンドン大空襲で地下鉄の駅に避難する人々のドローイングを描くよう依頼された。同年、リーズ市アート・ギャラリーの館長ジョン・ローゼンスタインは、テンプル・ニューサム・ハウスでムーアの最初の回顧展を開催した。ムーアの手紙は、現代美術協会*2取得作品の、オックスフォードのアシュモレアン博物館での展覧会に触れているが、同展覧会には彼の7点のドローイングが含まれていた。展覧会後、これらのドローイングは明らかに間違った貸し主に返却されてしまった。C.A.S.、エコノミストのジョン・メイナード・ケインズ（C.A.S.評議員）、ナショナル・ギャラリーと戦争アーティスト諮問委員会双方のディレクターを務めるケネス・クラークの3者が所有していたドローイングはどれか、ムーアは混乱を解決しようとしている。

*1 訳者注：戦争中の出来事を記録するために、政府により任命されたアーティストたち
*2 訳者注：Contemporary Art Society＝C.A.S.

Artist's Letter

HENRY MOORE
NOV 1941

拝啓　ジョン・ローゼンスタイン

　昨日、あなたの手紙を受け取りました。アシュモレアンに出品したC.A.S.所蔵の私のドローイングに関してあなたがケインズに書いた手紙と、その返事が同封されていました。

　実際のドローイングを見なければ、どれが混同されたのかを確認するのは、私には難しいです（中略）しかし「ケインズ氏がC.A.S.のために購入したドローイングの数は6点だ」というあなたの考えは正しいです。彼は同時に、自分用に私から3点を購入しました。ケインズの3点はリーズに送り、その裏面に、彼から借用したことを確かに裏書きしました。また彼の3点はリーズのカタログに載っていると思います。

no1. 防空壕―3人の眠る人（こんな風に寝ている3人のドローイング）

no2. 防空壕―眠る人たち（モーヴィッシュ・ブルー・グレーの、ほとんどモノクロのドローイング）

no3. 防空壕（3点のうち、最初の2点よりも小型のドローイング。1人は立ち、1人は座り、もう1人は「空襲を受けた」家にもたれています。人物はペンとインクで描かれているか、加筆されています。全てはピンク・ブラウンか、テラコッタ・ピンクです）

　このno.3が誤ってオックスフォードに送られたもののようで、もしこれが以上の説明に当てはまれば、ケインズ氏のものです。彼は3点のドローイングを戻してもらったのか、それとも貸し出しが継続されているのかは分かりますか？ リーズの展覧会（またはその一部）は成人教育計画の下で巡回されてしまったので不明です。もし3点が彼に戻されたのであれば、今のところオックスフォードの防空壕シーンは彼の所有のうちの1点です。しかし彼の3点の中にも、間違いがあります。

　あなたが触れているオックスフォードの5番目の防空壕のドローイング、レンガのシェルターにもたれかかっている2人の人物がいるものは、ケネス・クラークのものと思われます。このように、（私にとって）いつもよりずっとリアリスティックな頭部を持ったもので、色はあなたが言うように灰青色です。（中略）

　他の5点はC.A.S.のものであることを願っています。もしそうでなければ、問題を整理するのに少し時間がかかります。もしC.A.S.が所有している6点の説明が必要なら、少し考えれば思い出せますし、上記のようにそれらの小さなドローイングを描きます。

敬具、ヘンリー・ムーア

ヘンリー・ムーア（1898-1986）からジョン・ローゼンスタインへ
1941年11月9日

This shocking scoundrel to escape...

To think that, when we despaired of ever getting hold of him – because, as you pointed out, of the difficulties of extradition – he should of his own accord run right into your arms, is amazing! –

It would be unpardonable if by any chance this time he were to slip through the very clever fingers of the New York Police.

I am most anxious to hear. Do let me have one word by cable to say that Sheridan Ford is properly in Sing Sing – or no doubt or sureness it is that scamps, tramps & jailbirds de son espèce, are safely squeezed!

With hearty congratulations upon such excellent work.

Believe me dear Mr Allen
Always sincerely
[signature]

ジェームズ・マクニール・ホイッスラーは、時事解説者としても社会にかなりの衝撃を与えた、数少ない成功体験を持つアーティストの1人だった。1878年、著名なビクトリア朝の批評家ジョン・ラスキン（p.199）が「ホイッスラーが公衆の顔に絵の具壺を投げつけた」と非難する批評を発表すると、ホイッスラーは彼を告訴した。ホイッスラーは法廷の有名人という立場を利用して、アーティストの自主性を擁護することを主張した。1885年の『10時の講義』では、彼はアートをファッションや室内装飾に組み込むことを目指しており、アーティストたちはアートの社会的意味ではなく「いかなる条件、いかなる時代においても美しいもの」と関わらねばならないと主張した。1889年、彼はアメリカのジャーナリスト、シェリダン・フォードが、ラスキン裁判に関する書簡の抜粋本を編集することに同意した。

NY・ヘラルド紙でホイッスラーについて記事を書いたフォードは、彼のアメリカにおけるエージェントになることを望んだ。しかしフォードがこの本の仕事に取り掛かってすぐに、ホイッスラーは自ら出版することを決めてしまった。フォードは仕事を先に進め、1890年2月にアントワープで『敵を作る紳士的なアート』を出版した。ホイッスラーはただちに法的措置をとり、フォードの本は出版が禁止された。6月に同じタイトルでホイッスラー自身の本が出版されたが、フォードは引き下がらず、パリで別のタイトルの海賊版を出版した。これも出版禁止となり、彼はアメリカに戻った。

いかにもホイッスラーらしいことは、彼が勝ったことを確信するまでフォード事件から手を引かなかったことであろう。ジャーナリストのフレデリック・アレン宛に書いた彼の手紙は、冗談にもおおげさ過ぎる（「シング、シング（sing, sing）」は悪名高い最高警備の刑務所のことである）が、高圧的な態度（「このひどい悪党」）の下には、ある種の冷酷さが透けて見える。

Artist's Letter

バック通り110、パリ
　親愛なるアレン様

シェリダン・フォードが「パリ市」を去り、偽名を使ってNYに向かうと、アレクサンダー氏がただちにあなたに電話をかけた。この望ましい速さと言ったら。

それ以来、彼の逮捕のニュースを待っていた。確かに、あなたはこのひどい悪党が逃げおおせることを許していなかった!

あなたが指摘したように、国外逃亡犯の引き渡し問題の難しさのために、私たちが彼を捕まえることさえあきらめた時、彼が自らあなたの腕に飛び込むとは、大したもんだ!

万が一にも今度、彼がNY警察の巧妙な手から逃れたとしても、それは許されないだろう。切に聞かせて欲しい。シェリダン・フォードがまさに、「シング、シング」や「墓」、あるいは彼のような、ならず者の浮浪人を「完全に隔離するための、然るべき場所」に収容されていることを示す一言を、電話で聞かせて欲しい。いつも心から、ジェームズ・マクニール・ホイッスラーこのような素晴らしい仕事に心からの祝福を。私を信じて下さい。アレン様へ

London Oct. 16. 1773

My Lord

I was out of Town when your Lordships note arrived or I should have answered it immediately. Mr Paro says the Picture of the Lake of Como will be quite finished in a weeks time when he will send it as directed to St. James's Square. The price will be the same as that which was in the Exhibition which was eight Guineas.

I fear our Scheme of ornamenting St Pauls, with Pictures is at an end, I have heard that it is disapproved off by the Archbishop of Canterbury and by the Bishop of London. For the sake of the advantage which would accrue to the Arts. by establishing a fashon of having Pictures in Churches, six Painters agreed to give each of them a Picture to St Pauls which were to be placed in that part of the Building which supports the Cupola & which was intended by Sir Christopher Wren to be ornamented either with Pictures or Basrelliefs as appears from his Drawings. The Dean of St. Paul and all the Chapter are very desirous of this scheme being carried into execution but it is uncertain whether they will be able to prevail on those two great Prelates to comply with their wishes.

I am with the greatest respect
    your Lordships most humble
        and obedient servant
            Joshua Reynolds

ジョシュア・レノルズ（1723–1792）から
フィリップ・ヨークへ

1773年10月16日

　ジョシュア・レノルズが1750〜1752年にイタリアを訪れて帰国するまで、イギリスの肖像画はアートの一形式ではなく、本質的に社会のエリート層に奉仕する贅沢産業とみなされていた。しかしレノルズには別の考えがあった。しばしば1週間に7日間働いたこともあった彼は、古典彫刻やオールド・マスターの絵画から採ったポーズを18世紀の高官の肖像画に取り入れることで、収益の上がる仕事形態を築き上げた。彼が1761年頃に描いた、貴族出身の作家で政治家だったフィリップ・ヨークの娘たち、アマベルとメアリー・ジェミマ・ヨーク（クリーブランド美術館、オハイオ）の2人の肖像画は特に、人の心に訴えかける「子供の肖像画」である。

　同時にレノルズは、アカデミー・フランセーズの方向性に沿った英国アカデミーの確立を通して、アーティストの職業的地位向上に力を注いでいた。1768年、王立芸術アカデミーが設立された時、彼は初代校長に就任した。アカデミー初期の展覧会ではウィリアム・パースの作品を取り上げ、そこにはイギリスで初めて見ることができたアルプスの風景画が含まれていた。ヨークのロンドンのタウンハウスに届けられる予定の絵画は、コモ湖の眺めを描いたもので、極めて妥当な価格のものだった（レノルズはこの時までに、肖像画1点につき160ポンドを請求していた）。レノルズは市民生活の中心に絵画を設置する機会を常に探していた。水泡に帰したものの、ちょうどセント・ポール大聖堂にアートを設置するために、彼がこの手紙の中でヨーク（当時、第2代ハードウィック伯爵）と話し合っている計画のように。

Artist's Letter

ロンドン

閣下

　公爵様のお手紙が届いた時、私は町を出ておりましたが、すぐにそれに答えるべきでした。ウィリアム・パース氏は、コモ湖の絵は1週間後に完成するので、セント・ジェームズ・スクエアに送ると言っております。価格は、展覧会での価格と同じ8ギニーになるでしょう。

　セント・ポール大聖堂を絵画で装飾する計画が頓挫するのを恐れています。カンタベリー大司教とロンドン司教によって否認されたと聞いております。教会に絵画を入れるという風習を確立すれば、アートに対してメリットがもたらされます。6人の画家が各自絵画1点をセント・ポールに提供することに同意しています。それらの絵画は、キューポラを支える建物のある部分に設置されたり、あるいは、クリストファー・レン卿が、彼のドローイングで示しているように、浅浮き彫り*と共に、セント・ポールに飾られることになっています。セント・ポールと全支部の司祭長は、この計画が実行に移されることを心待ちにしていますが、彼らの願いに応えるべく、あの偉大な2人の高位聖職者を説得できるかどうかは分かりません。

閣下への最大の敬意をもって。
もっとも謙虚で忠実な従僕、ジョシュア・レノルズ

* 訳者注：レリーフの一種で、特に彫りの浅いもの

ANNI ALBERS   8 NORTH FOREST CIRCLE   NEW HAVEN 15, CONN.

March 15. 54

Miss Gloria S. Finn.
6124   33rd St. N.W.
Washington, D.C.

Dear Miss Finn,

Thank you for your letter asking my husband and myself
to take part in your rug project. I think we will have
to know a little more about your rugs before we can make
a decision.

Some of the questions that come to my mind are : what size
are the rugs to be? Who supervises the dying of the yarn?
is there any restriction in regard to the number of colors
to be used? At what prize are they to be sold and what is
the fee, in terms of percentage, we may count on ?
Could you send some photos of rugs of your workshop?
I think that would be easier that bringing them to New York.
Also I do not know when we can be there.

Thank you for your interest,

Sincerely yours,

Anni Albers

1933年、テキスタイル・デザイナーのアンニ・アルバースと彼女の夫でアーティストのヨーゼフはドイツからアメリカに移住した。2人は揃って、学際的なバウハウスのデザイン学校で教鞭を執っていた。バウハウスが閉鎖された後、ナチスの敵意を目の当たりにしたヨーゼフは、ノースカロライナ州の実験的なブラック・マウンテン・カレッジからの、アート教育の責任者就任への誘いを受け入れた。アンニは織りのワークショップを担当し、それを彼女は「建設とデザインのための実験室」とみなした。ブラック・マウンテン・カレッジで、アンニは天然繊維やセロハン、アルミニウムなどの合成材料の混紡糸からテキスタイルを織ったり、目にしたさまざまな物からジュエリーを作ったりし始めた。彼女のパターンは、バウハウス流の抽象的で幾何学的な色の配置から、ヨーゼフとの旅行で見つけた古代メソアメリカのテキスタイル要素との融合へと進化していった。

　若いテキスタイル・デザイナーのグロリア・フィンへ宛てた彼女の手紙は、1950年にヨーゼフがイェール大学のデザイン部長に任命された、ニュー・ヘーヴン時代に遡る。その手紙はアンニにとって、名前も仕事もまだ知らない者からの要望に対する、慎重でありながらテキパキとした専門的立場からの返事となっている。フィンとアンニとの思いがけない接触は何よりも、アンニの最も有名なデザインの共同制作につながった。《ラグ》（1959、ジョンソン美術館、コーネル大学）は、小豆色の地にケルトノット模様の絡み合ったパターンからできあがっている。これは曲がりくねった地図のような「糸の表現」を探求するための、アンニによる大胆な声明である。それはフィンが専門とする手房（＝ハンド・タフティング）技術でフィン自身が制作した。フィンは後にイギリスの弁護士ウィリアム・デール卿と結婚し、クラフト・カウンシルの中心人物となり、彼女の古代中東のビーズ・コレクションを大英博物館に寄贈した。

ANNI ALBERS
MAR
1954

アンニ・アルバース（1899-1994）から
グロリア・フィンへ
1954年3月15日

Artist's Letter

ミス・グロリア・S・フィン
6124 33丁目、N.W.
ワシントンD.C.
フィン様へ

　夫と私宛に、あなたの織物プロジェクトへのお誘いのお手紙をありがとう。決める前に、織物についてもう少し知っておきたいと思います。

　頭に浮かぶいくつかの質問は次のとおりです。織物はどのくらいの大きさになりますか？ 織り糸の染めを監督するのは誰ですか？ 使用する色数に関して制限はありますか？ また、それらはいくらで販売されますか？ またパーセンテージに換算して、出品料はいくらを見込めばいいですか？
あなたのワークショップの織物の写真を送って頂けますか？ NYに現物を持って来てもらう方が早いかもしれません。私たちがいつそこに入ることができるかは分かりません。

　ご関心をお寄せ頂きありがとうございます。敬具
アンニ・アルバース

Sonntag. 17. April.   Santos. 29.4.

Mein lieber Breuer, als ich in
Hartfort war hörte ich ‡ von Russel
Hitchkock, dass du in Europa bist.
Nun sah ich aber Donner und
es stellte sich heraus, dass du doch
in Harvord Univ. bist. Also wo
bist du endlich.² Ich habe nur
aus dem Grunde ~~~~~ die meinen
aufenthalt in New-York nicht
gemeldet. — Meine Ausstellung
in Julien Levy Gallerie ~~~~~ wird noch
zwei wochen dauern. Wirst du
die Zeit haben es zu besuchen
sodass wir uns hier sehen
könnten. — Ich möchte gerne
dich wieder sehen. schreibe
mir ein paar worte und was
wir machen könnten um uns zu treffen.

ロシアに生まれたナウム・ガボは、ロシア革命後の数年間、アートの革新が公式に奨励された時に「構成的」彫刻の概念を展開した。ガボは「彫刻は固体としての物体ではなく、むしろ空間に関するものであり、自分の彫刻は本質的にアイデアとして存在し、その各々が異なる素材、場所、大きさで繰り返し制作できる」と言っている。1922年、ベルリンへの移住と共に長い流浪生活が始まった時、彼は作品のミニチュア版が入ったスーツケースを携えていた。ドイツでガボは、建築家マルセル・ブロイヤー（p.99）を含むバウハウスに関係したアーティストやデザイナーたちと出会った。彼はパリでも制作し、ディアギレフのバレエ・リュスのために舞台と衣装のデザイン制作を行った。ナチズムの脅威が高まるにつれて、ガボは1936年にロンドンに移住し、ハムステッドの前衛サークルのカリスマ的メンバーとなったが、そこにはバーバラ・ヘップワース、ベン・ニコルソン、ヘンリー・ムーア（p.159, 169）やブロイヤーなどのヨーロッパ人亡命者らが含まれていた。ヘップワースとニコルソンは、ガボとアメリカ生まれのイギリス人ミリアム・フランクリンとの結婚の立会人であった。フランクリンの存在がガボのロンドン移住のもう1つの理由だった。

1938年4月、ガボはジュリアン・レヴィ・ギャラリーでの個展のオープニングのためにNYにいた。ブロイヤーはその前年にアメリカに移住してハーバード大学で建築の教授を務め、元バウハウスの校長ヴァルター・グロピウスと共に、アメリカの建築家の若い世代にモダニズムの原理を教えていた。彼らの共通の連絡先に、建築史家のヘンリー・ラッセル・ヒッチコックとアレクサンダー・ドーマーがいたが、ドーマーは元ドイツ博物館館長で、この時ロードアイランド・スクール・オブ・デザインの校長を務めていた。この不安定な時代には、誰もがひと所に落ち着かないように見えた。君は本当にどこにいるのか？ いつ会えるか？ ガボはブロイヤーに尋ねる。ガボはブロイヤーに、義理の弟のNYのアドレスを癖のあるドイツ語で書いている。戦後、ガボもミリアムが育ったNYに向けて船出することになる。1940年代に入っても依然としてラディカルだった自分の考えを受け入れてくれる聴衆が、NYにはイギリス以上にいると、ガボは確信した。

* 訳者注：care ofの略（様方）

ナウム・ガボ（1890－1977）から
マルセル・ブロイヤーへ
1938年4月17日

APR
1938
NAUM GABO

Artist's Letter

親愛なるブロイヤー

私がハートフォードにいた時、ラッセル・ヒッチコックから、あなたはヨーロッパにいると聞きました。しかしドーマーに会ったら、あなたがハーバード大学にいることが明らかになりました。結局のところ、あなたはどこにいるのでしょうか？ このため、私はNY滞在についてはお伝えしませんでした。ジュリアン・レヴィ・ギャラリーでの私の展覧会は、まだ2週間続きます。あなたにそこを訪ねる時間はありますか？ 私はあなたに、心からまたお会いしたいと思っています。 私に何か手紙を書いてください。そうすれば私たちは会うことができます。6月にはロンドンに戻るつもりです。それまでには、あなたに会っておきたいものです。NYでの私の住所は次のとおりです：西79丁目176。しかしより安全なのは、c/o*ジョー・イスラエル、エンパイア・ステート・ビルディングです。アパートに家具を入れて、5月に引っ越す予定でいますから。私たち2人から、またロンドンの全ての友人から、心からの挨拶を。

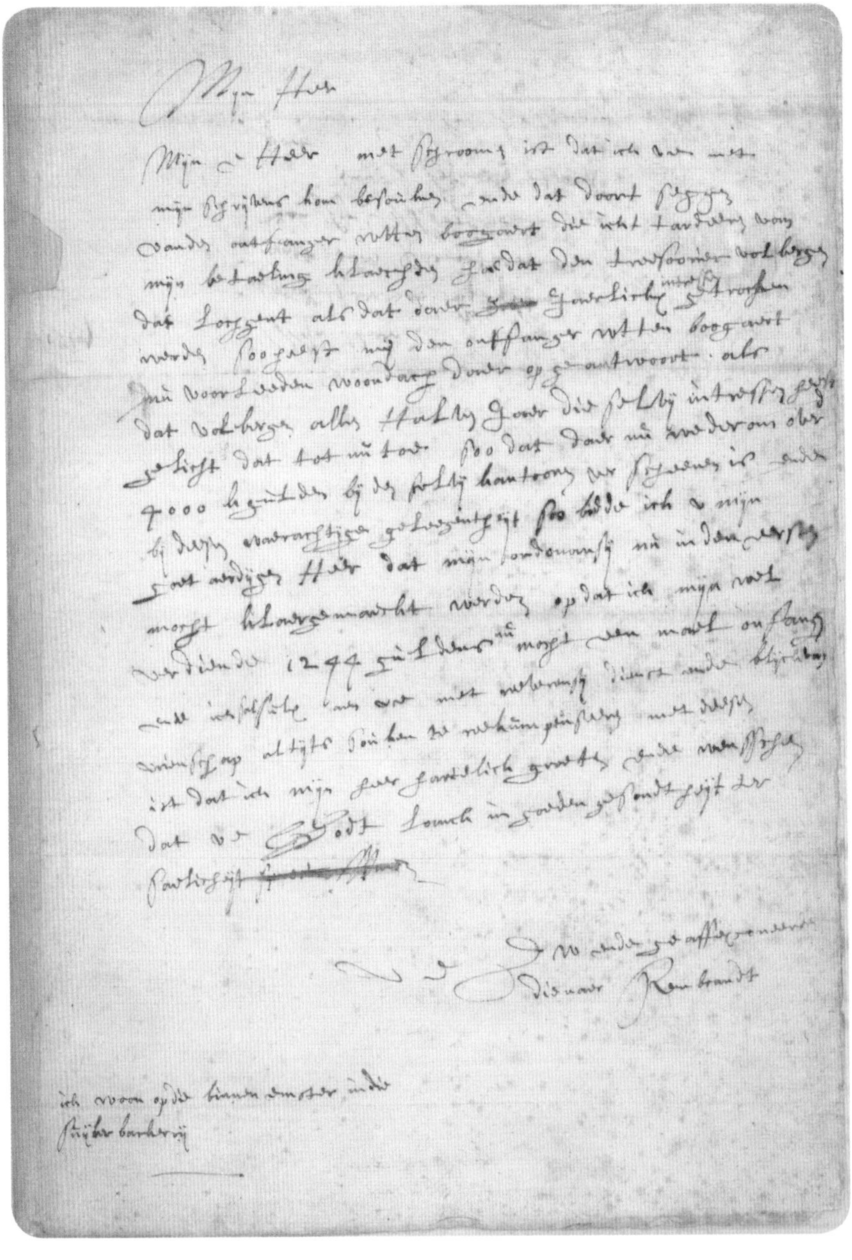

1639年1月、レンブラントは、アムステルダムのファッショナブルなシント・アントニースブレー通りの大邸宅（現在のレンブラントハイス美術館）を購入し、5月に妻のサスキアと共にそこへ移った。それまでの間、彼らはアムステル運河に囲まれた内側、交易で賑わう埠頭や倉庫地区にあるシュガー・ベーカリーの隣に家を借りていた。レンブラントとサスキアの壮大な新しいスタジオ兼住宅には13,000ギルダーの費用が必要だったが、レンブラントはそれを支払うだけの余裕と、それに値する社会的名声を得ていると感じていた。しかしながら、詩人兼作曲家、外交官のコンスタンティン・ホイヘンス宛の現存する7通の手紙から明らかなように、アートで確実な収入を得ることは常に挑戦であろう。彼らは、イエスの埋葬と復活を表す、福音の場面を描いた2点の絵画を論じている。レンブラントはこの2点の絵画に対して、ホイヘンスが仲介人として間に立ち、オラニエ公王子フレデリク・ヘンドリクから2,000ギルダーを受け取ることを望んでいた。

レンブラントは支払いを1ヶ月間待った後、しぶしぶ1,600ギルダーを承諾し、それを、収税吏ヨハンズ・ウーテンボハールトから受け取ることを期待していた。最終的に王子は出納官サイマン・ヴァン・ヴォルベルゲンに、レンブラントに1,244ギルダーの支払いを許可した。支払いはレンブラントからホイヘンス宛の督促状と行き違いになったようである。その中でレンブラントは、アーティストが社会の上層階級に手紙を書く際に要求される敬意の形式に従いながら、自分の苛立ちを慎重に抑えている。この手紙の中の訂正の数は、レンブラントが急いでそれを書いたことを示唆している。またホイヘンスに宛てた彼の以前の6通の手紙よりも筆跡がきっちりと書かれ、華麗なものではない。彼が意図的に自分を抑えているかのようである。

* 訳者注：k=1,000（単位）を示し、「4,000,000ギルダー」と推測される

Artist's Letter

拝啓

私はこの手紙であなたにご迷惑をかけないか心配しておりますが、支払いの遅れについて収税吏のウーテンボハールトに不満を述べた後、彼が私に語ったことについて手紙を差し上げる次第です。出納官のヴォルベルゲンは、税は毎年1回の請求であることを否定しました。これに対して先週の水曜日、収税吏のウーテンボハールトは、これまで、ヴォルベルゲンはこれらの税を6ヶ月ごとに請求して来たと答えました。とすればウーテンボハールトの事務所では、更に4,000k*ギルダー以上を収めていたことになります。この現状のため、私の支払指図を早急に準備して頂くよう、あなたにお願い致します。そうして頂ければ、私が稼いだ1,244ギルダーをようやく受け取れるようになります。私はこれに対して、尊敬の念、奉仕、友情の証をもって、永遠にあなたに報いるでしょう。加えて、私は心から感謝を表すと共に、神があなたに永遠の健康を与え、祝福を与えられんことを願っています。

あなたの義務と愛情の下僕　レンブラント

私はアムステル運河に囲まれた内側の地区のシュガー・ベーカリーに住んでいます。

Samedi

Monsieur de Memorières

C'est par la condition de votre
lettre que j'ai cru que c'était
de la part de l'administration
que vous me demandiez ce
tableau — en effet, si
comme vous me le dites c'est
une personne qui le désire,
j'aurais pu faire d'autres conditions,
et si cette personne continue
à le désirer, qu'elle veuille dans
dire quel prix elle peut oit
y mettre, je verrai si je puis
lui céder —

Je vous remercie beaucoup
de vous être occupé de cette
affaire dans mon intérêt.

Veuillez accepter mes salutations,
empressées

Gustave Courbet

1860年代に成功を勝ち得た中堅アーティストとして、ギュスターヴ・クールベはフランスの社会制度やアート制度に対してアンビバレントな関係にあった。1850年代初頭に、農民生活をありのままに観察した、感傷的要素など何も持たない絵画で彼は悪評を被った。アカデミックな絵画に対して、上品で理想化された、もしくはロマンチックな英雄的イメージを表現することが期待されていた時代に、クールベのアート、言葉、更に自己主張的な赤色のサインは「革命のカタパルト」のように感じ取られた。批評家たちは、彼の言う「平等主義絵画」は「アートを破壊する」ものとして彼を非難した。1855年、彼は作品展への序文として『リアリズム宣言』を発表し、彼の目的は「生きたアートを創造するために自分の時代の慣習、考え、現象を翻訳すること」と述べている。アートにおけるリアリズムは、社会的には進歩的政治と固く結びついていた。彼の等身大の《女とオウム》がサロンの名誉ホールに展示された1866年までには、彼はパリのオスマン帝国大使ハリル・ベイを含むコレクターたちにもてはやされていた。その年、クールベはハリル・ベイのために、ベッドにいるレズビアンのカップルを描いた《眠り》(プチパレ美術館、パリ)を描いた。

小貴族のフィリップ・ドゥ・シュヌヴィエールは揺るぎない右派のアート行政官で、1861年にリュクサンブール美術館のアシスタント・キュレーターに就任した。彼はアートにおける民主主義の考え、特にクールベの考えを嫌い、「この世の善良な人々」に偽りを伝えていると異議を唱えた。クールベは手紙の中で警戒しているように見える。《プレジール・フォンテーヌの小川への鹿の帰還》(オルセー美術館、パリ)の購入のことで、なぜドゥ・シュヌヴィエールは近づいて来たのかと、当惑していたからかもしれない。主題に関して「民主的」でもエロチックでもない、このクールベの生まれ故郷を描いたのどかな森の光景は、彼のアートが持つもう1つの側面を示し、ナポレオン3世の妻であるユージェニー皇后にアピールしたことは明らかである。ドゥ・シュヌヴィエールに売却交渉を頼んだその「人」が上流社会のクライアントであることは、クールベも分かっていたに違いない。しかし、クールベが彼女の本当の正体に思い至ったとしても、彼はそれを口にしない。結局クールベは、1866年のサロンに《鹿の帰還》を出品した後、それを株式仲買人のエリック・ルペル＝コインテに15,000フランで売り渡した。

* 著者注

ギュスターヴ・クールベ(1819-1877)から
フィリップ・ドゥ・シュヌヴィエールへ

1866年4月

GUSTAVE COURBET
APR 1866

Artist's Letter

ドゥ・シュヌヴィエール様

あなたの手紙は簡潔でしたので、あなたが公の立場でこの絵についてお尋ねされたと信じております。あなたが語っておられるように、それ(購入)*を望んでおられるのがあるご婦人であるなら、私は今とは違った条件を提示したでしょう。その方がまだ望まれているのであれば、どのくらいの金額を支払おうとなさっておられるのか、もしよろしければ、あなたを通して知らせて頂けないでしょうか。さすれば、彼女の提案を受け入れることが可能かどうか検討できるでしょう。

私に代わって本件にお心遣いくださり、心から感謝申し上げます。よろしくお願い申し上げます。
ギュスターヴ・クールベ

59 Charlwood St
888.

Dear Mr. Evans.

There is no doubt
that I shall get the "Showing"
to do.   Chapman & Hall are
much taken with my work &
are willing to wait till the
Autumn to make a start.
all now depends upon the
Immortal George.   I am
collecting my Persianesques &c

お金のこと

1891年7月、ビアズリーが有名なアーティスト、エドワード・バーン＝ジョーンズ（p.35）にドローイングを見せた時、彼は19歳で、事務員として働きながら、作家になることを夢見ていた。バーン＝ジョーンズはビアズリーにこう語った。「私は人に向かって、アートを職業にするのを勧めることはめったにない…それどころか、全くない。しかしあなたの場合、それ以外のことしか言えない」。まもなくするとビアズリーは、トマス・マロリーの中世の叙事詩『アーサー王の死』の、新版の挿絵を描くという割のいい依頼に従事していた。1893年、彼は写真家フレデリック・エヴァンスの肖像写真のためにポーズをとった。信じられないほど細長い指に包まれた、鋭く敏感そうな彼の横顔は、「アートのためのアート」愛好者のカリカチュア（風刺画）のように見える。この頃、エヴァンスに手紙を書いたビアズリーは、マロリー計画と、もう1つの実現しなかった計画、チャップマン＆ホール社から出版予定だった、ジョージ・メレディスのオリエンタル空想小説『シャグパットの毛剃（けぎり）』の新版の出版計画に言及している。

Artist's Letter

チャールウッド通り59
エヴァンス様
　私が「展覧会」を開くことは間違いありません。チャップマン＆ホールは私の仕事にとても惹かれているので、秋まで待つことは厭（いと）わないでしょう。すべては今、不滅のジョージにかかっています。私は彼を表現するためにペルシャ風のものを集めています。彼が私の作品を心から気に入ってくれると確信しています。今晩、私はシャグパットの素晴らしい顔を一気に描きあげました。それは極めて神秘的でブレイク風のもので、絶対にマスターを魅了するはずです。
　C&H（＝チャップマン＆ホール）は、私の満足のいく、いい数字を喜んで払ってくれるでしょう。
　あなたが貸してくれたモルテのドローイング*を返します。貴重な情報、ありがとう。
　　　　　　　　　　オーブリー・ビアズリーより
　メレディスがシャグパットの顔に固執することがなければ（私はそのように想像しています）、ドローイングはあなたのものです。あなたが大事にしてくださるなら。

＊ 訳者注：死を描いたドローイング一式と
　思われる

Многоуважаемый Анатолий Васильевич

В виду варварского обращения современной культуры с произведениями нового искусства, в том числе и моими работами, которые находятся в анапольском музее как в центре так и в провинции напр в Витебске я нашел, все работы художников свалены в куче со всевозможными хламом в нежилой комнате представляющей мусорный ящик, но не музей, между тем в Витебске есть небольшой музей в котором хранятся маски Наполеона Пушкина и несколько Кир гизовия ожерелья старинный и оборванная посуда, сушеная тыква для воды. В чем представители местной власти еще видят некоторую ценность, что их и отличает от Крыловского Петуха, но кновому искусству относятся как и все похожие на крыловских Петухов, в нем ничего не видят, но никто мер не принимают. о охране, что же от них требовать, когда в самих правительственных газетах часто читаешь всякого рода оскорбления, всюду плюют и харкают в новое искусство и их представители по невежеству своему думающие, что новая искусство кляксы чепуха. Очень досадно, что такие революционные люди уподобляются тем варварам, которые жгли но потому так кто открыл новым реализм в мире напр. в правде в статье Богуславский удачно подсчитал расход на футуристов в 600 мил. рублей № 224 погиб ей ,,Прочь этих нахлебников с плеч государства" разве этот человек понял что либо а что значит эта статья в провинции, она значит дагай и сажай в подвалы, бей. Конечно всякое государство должно сохранять все традиции по всему новому, тоже Грабарь такими клексами на Суоми, а теперь поздно пятницу с рубцом было с рам азиной произведении. в ними культуры и где она. Нахлебникам нет места, мне это уже говорят, тогда они идей бывают нас на острова, конечно нужно видание шпана и средства ибо шпана продана, что бы прокормить себя и спасти идеи. Я например в моте санаторий по нам в подвал чуть и задохся влезем. Но спасибо ваше письмо о помещении меня в санаторию выручило, оно было найдено при аресте, если же уже меня арестовали то очевидно делать чека нечего совсем. но об этом потом тишей, а я еще раз обращусь к своей просьбе к вам, чтобы вы посодействовали мне вернуть приобретение у меня картины напр. из Витебский музей пом я не смог бы выпустить свои не картины ценные для меня за которые я получил в 1919 году 40.000 руб. к полиру вознаграждение а выпушку все. тем самым уничтожается Богуславская ф.ф.и. и ,,Хо" и правде.

Очень жаль, что правда заявляет в свои руки всю правду всего помогите статья ибо все почти все лгут. нельзя также и попрощать брошюры о футуризме, которую написал А можит быть она родилась было уже в мозгах тов. Богуславского ф.ф.и и кем ибо у них все мозги забиты предрассудками и невежеством. Какая разница в их описаниях с теми Нахлебовскими Апросами Глаголем Мамонтовских из русского слова и куски ведомостях И так революция произошла в хартии, но в мозгах их папой, Яблоковский или ф.ф.и печал между ними разница. Богуслав. и ф.ф.и и еще много есть сравнений но испорчена бог хартии.

                                         К Малевич

1917年の10月革命後の数年間、ロシアの前衛アーティストたちは、新しいソビエト国家のための視覚言語を創造するために指導的な役割を果たした。レーニンは前衛アートに不信感を抱いていたが、優れた教養を持つ、アート愛好者の人民教育委員アナトリー・ルナチャルスキーは、ベラルーシのヴィテプスク市の美術学校のように、アーティストたちに社会的かつ教育的なイニシアチブを積極的にとらせようとした。カジミール・マレーヴィチがマルク・シャガールから同校を引き継いだのは1919年だった。《黒い四角形》（1915年、トレチャコフ美術館、モスクワ）などの絵画で、マレーヴィチは徹底した形式的抽象を開拓した。ヴィテプスク市では、彼の過激なアイデアを実現するために、アーティストやデザイナーたちのグループ「ウノヴィス（＝新しいアートの賛同者）」を結成した。ロシア革命記念日を祝う機会には、街の通りは円や正方形、色の付いた線で飾り立てられ、住民たちを大いに戸惑わせたりした。

1921年以降、前衛アートに対する当局の姿勢は急激に厳しくなった。共産党新聞プラウダは、取るに足らない党役人ミハイル・ボグスラフスキーのような者たちを使って「新しいアート」を繰り返し攻撃した。マレーヴィチはチェカの訪問を受け、転覆罪で告発されて初めて逮捕を経験し、ルナチャルスキーからの手紙を提出する時だけ釈放された。彼からルナチャルスキーへの手紙は、ヴィテプスク市での彼の高まりゆく失望感と傷心を物語っている。数週間後、彼はペトログラード（現在のサンクトペテルブルク）に向かった。

＊ 訳者注：正式にはアナトリー・ワシリエヴィチ・ルナチャルスキー

Artist's Letter

親愛なるアナトリー・ワシリエヴィチ＊

私の作品や、中央と地方（例えば、ヴィテプスク）の双方において等しく尊敬されている「新しいアート」作品に対する今の時代の野蛮な取り扱いに関してですが、アーティストたちの作品全てが、博物館というよりはゴミ箱のように見える不適切な部屋で、ゴミというゴミと一緒に捨てられているのを目の当たりにしました。しかし、ヴィテプスク市には博物館があり、そこでは、ナポレオンやプーシキンのマスク、キルギスの首飾り、指輪、食器、水用の乾燥瓢箪が保存されていて、地元の役人によって今なお尊重されています。（中略）彼らは「新しいアート」には目もくれず、それを保護するために何もしませんでした。政府の新聞においてさえ、あらゆる種類の侮辱をしばしば目にする時、いったい彼らに何を期待できるのでしょうか？

彼らは至るところで「新しいアート」とその代表者たちにつばを吐きかけ、自らの盲目ゆえに「新しいアート」は痰壺だと考えています（中略）プラウダの第224号の記事でボグスラフスキーは、未来派のアートに約6億ルーブルが支払われる、という事実に顔をしかめ、「これらの寄生虫を国の肩から払い落とせ！」と書いています。この男はいったい全体、何を理解しているのでしょうか？また、彼の記事は地方の人々にとって何を意味するのでしょうか？「それらから離れ、それらを地下倉に閉じ込め鍵をかけよ！」と言っているのも同然です（中略）私はサナトリウムの代わりに地下倉にいることに気付き、そこで窒息しそうになりました。しかし、ありがとう。私のためにサナトリウムに場所を見つけてやるというあなたの手紙は本当に力になりました。私が逮捕された時、彼らはそれを見つけました。しかしチェカにとっては、逮捕だけでは十分でないことは明らかです（後略）
Kマレーヴィチ

カジミール・マレーヴィチ
（1879−1935）から
アナトリー・ルナチャルスキーへ
1921年11月

Red Hill July 16/73

Dear Sir
        Here annexed is a sketch
of the Constable picture which I took
up at your request & painted some sheep
into — And in order to make it clear
where my work begins & ends I have
indicated the Constable by black ink
and my work by red chalk .
Hoping this will answer the end
you propose   I am yours faithfully
                John Linnell Sen

Isaac Muirhead Esq

answer to letter of Feb 15th /3

186   お金のこと

ジョン・リネル（1792−1882）から
ジェームス・ミュアヘッドへ
1873年7月16日

　1873年7月1日、2人のアート・ディーラーがジョン・リネルを訪れた。リネルは「ミュアヘッド氏とブラウン氏が、コンスタブル作と言われる絵を購入した」と日記に記した。彼らは絵に若干の変更を加えるようリネルに依頼し、リネルは「絵に羊を描き入れて、それを"コンスタブルとリネル"作にする」ことに同意した。彼は2週間で作業を終え、100ポンド（現在の約6,300ポンド）[*1]の支払いを受け取った。先のミーティングの15日後の日付が記されたリネルからミュアヘッドへの手紙は、彼のビジネスライクな仕事ぶりへの評判を裏付けている。リネルは納期を守った上、「仕事の始めと終わりを明確にするために」、色表示付きの絵のスケッチを含めている。

　リネルはこの段階で、経歴から見てイギリスで最も商業的に成功したアーティストの1人だった。彼の肖像画や風景画のセールスにより、彼はサリー郡のレッドヒルに大邸宅を建てた上、その邸宅で9人の子供たちを自宅学習させることができた。彼は農業風景を、その土地の農民たちが望み得る以上に豊かに描くようになっていることを自覚していた。敬虔なクリスチャンとして、彼の牧歌的な風景に対する感情は、家畜の群れと羊飼い、収穫と牧畜など、聖書の象徴体系に満ち溢れていた。リネルにとって羊は常に、単なる絵画的添え物以上のものだった。《黙想》（1864～1865年、テート・ギャラリー）では、羊飼いの平和な群れが、高揚しながら読書をするための何者にも妨げられない時間を、彼に約束しているように見える。

　1820年代、リネルはウィリアム・ブレイク (p.37) やサミュエル・パーマーなどの幻想的アーティストたちの誠実な支持者として、彼らを金銭、仲介、注文の面で支援した。彼の末っ子ハンナがパーマーと1837年に結婚した後は、義父と義理の息子との関係はより緊張したものになった。また、リネルはジョン・コンスタブル (p.81) とはアンビバレントな関係にあり、自身が何度もロイヤル・アカデミー会員に選出されなかった原因は、この年上のアーティストにあると確信していた。リネルはコンスタブルの風景画に「介入する」ことに何ら良心の呵責も感じなかったように見える（これは本当のことだったかも知れないし、そうでなかったかも知れない）。

*1 訳者注：約85万円
*2 訳者注：/73、/3共に、1873年の略と思われる

Artist's Letter

レッドヒル7月16日/73 [*2]

拝啓

　ここに添付したのは、あなたのご要望通りに、羊を描き入れたコンスタブルの絵のスケッチです。私の仕事の始まりと終わりを明確にするために、コンスタブルの仕事は黒インクで、私の分は赤のチョークで示しました。

これが、あなたがご提案した目的への答えになればと思います。敬具

ジョン・リネル・シニア
ジェームス・ミュアヘッド殿、
15日の手紙への回答。／3 [*2]

artist on John Cheever's "Wapshot" ANDY WARHOL

Hello mr lynes

thank you very much

biographical information

my life couldn't fill a penny post card

i was born in pittsburgh in 1928 (like
    everybody else—in a steel mill)

i graduated from carnegie tech

now i'm in N Y city moving from one
roach infested apartment to another.

Andy Warhol

お金のこと

アンディ・ウォーホル（1928—1987）から
ラッセル・ラインズへ
1949年

20歳のアンディ・ウォーホルは、『ハーパーズ・バザー』誌の写真家兼アシスタント編集者であるラッセル・ラインズに、非常に短い履歴書を書いた葉書を出した。ラインズは彼にプロとしての初めての注文を出したばかりだった。1949年、ウォーホルはピッツバーグのカーネギー工科大学での勉強を終え、NYで商業アーティストとして身を立てようとしていた。その後の10年間、彼は『ハーパーズ』誌のために数百点のイラストレーションを制作することになるが、そのファッション編集者のダイアナ・ヴリーランドは自社の雑誌に、ライバル誌『ヴォーグ』よりもっと現代的な雰囲気と活き活きした話題性を与えることを誓っていた。靴、ドレス、ハンドバッグ、時計など、あらゆる種類のファッション・アクセサリーを描いたウォーホルの簡潔できびきびしたイラストレーションは明らかに、1950年代の「シック」に対する「ポップ」な遊び心にトップ・スピンをかけた。彼の経歴は、1955〜1956年のミラー＆サンズ・シューズの広告キャンペーンによる受賞でピークに達した。1960年代初頭に入ると、彼はコミック・ストリップや広告を基に絵画を制作し始め、アメリカのポップ・アートの新しい波と同一視され始めた。

Artist's Letter

こんにちは、ラインズさん、履歴書についての情報ありがとうございます

私の人生は、1ペニーのポストカードを埋めることができませんでした

私は1928年にピッツバーグで生まれました（他の皆さんと同じように—製鉄所の中で）*

私はカーネギー・テックを卒業し、NY市に住み、ゴキブリが這い回るアパートから別のアパートに転居します。

アンディ・ウォーホル

＊ 訳者注：ピッツバーグはアメリカを産業大国にのし上げた最大の製鉄の街

CHAPTER7
TRAVEL

旅 先 よ り

Artists' Letters

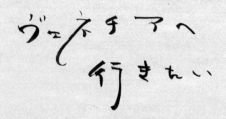

I hope to get to Venice

Villa Figini Bargano
Monza
Italia

8 September 1885

My dear Hallam,

The Photograph arrived quite safely yesterday Evening, & I am delighted with it. I am so much obliged to you. I always felt sure she had beautiful eyes, in spite of the 1st Photograph which probably was so arranged by the wife or other feminine party belonging to the Photographer who had got ugly eyes, & was jealous of all pretty ones As soon as I get back to Sanremo I shall have the likeness framed; the face is so charming that even if it belonged to Mrs Peregrine Pobbsquobb or anyone else & not Hallam Tennyson's wife it would be a lovely portrait to look at. The arrangement of the hair is perfect — how strange that 9 out of 10 women cannot see that such a simple matter improves their beauty, &

— on the contrary — prefer nourishing Goat curls & other hideousnesses! Thank you very much boy, & likewise give my thanks to your Audry — for you have both given me a real pleasure. || I leave here to morrow, & return to my native home at Sanremo — going by Milan & Savona — a railway journey I detest, — for I am extremely feeble. The Mundellers were coming back here to morrow, but I wrote to put them off, & we meet at Milan. And so not here now that there is no room for the time being. || I seem to have [?] 120 of my 200 Tennyson illustrations, & so pretty well completed. More about the whole work at a few clear rhyme. || I have just had a nice letter from your Uncle Edmund, & have made a confidence to him (& to the D. of Argyll — with whom I am in correspondence about certain Nile stratifications,) which I shall repeat to you in worse, on the next sheet. || Softer thinks of you all at Aldworth & should take to withers. Give my love to your Mother & Father & to the Leonids & to your Audry.

You are fortunate indeed to be so happy in marriage, yet I fancy the happiness is well merited if only for your Father & Mother's sake — not to speak of your own, which you are by no means in bad case.

Goodbye my dear Hallam —

Yours affectionately, Edward Lear

1
When leaving this beautiful blessèd Brianza
My trunks were all corded & locked except one;
But that was unfilled, through a dismal mancanza,
Nor could I determine on what I should done.

2
For, out of three volumes, (all equally bulky,)
Which — travelling — I constantly carry about,
There was room but for two. So, though angry & sulky,
I had to decide as to which to leave out.

3
A Bible! a Shakespeare! a Tennyson! ___ Stuffing
And cramming and squeezing were wholly in vain.
A Tennyson! Shakespeare! and Bible! ___ All puffing
Was useless, and one of the three must remain.

4
And this was the end, (as is truth & no libel;)
Aweary with thinking I settled my doubt
As I packed & sent off both the Shakespeare & Bible
And finally left the "Lord Tennyson" out!

Villa Figini. Bargano. Monza.
8 Sep.t 1885

エドワード・リアはローマ在住の外国人アーティストだったが、1849年、イタリアに起こった革命の脅威が、イギリスへの帰国を急がせた。彼は2冊、全く異なる種類の本を出したばかりだった。リア作の『イタリアの挿絵付き小旅行』は、ビクトリア女王が自身のドローイングのレッスンのためにリアに依頼してできた、地誌的なアルバムだった。『ナンセンスの本』には、幻想的な世界観の中で、全くもって常軌を逸したキャラクターたちを取り上げた72篇のリメリック〔五行詩〕と線画が載っていたが、ほとんど注目されなかった。

イギリスに戻ったリアは桂冠詩人*アルフレッド・テニソンおよびその妻エミリーと、永年にわたる友情を築いた。テニソンはリアが描いたギリシャ旅行についての新しい本に詩を捧げた。リアはエミリーに、テニソンの詩が自分に与えた喜びは「お金に代えがたい」と語った。1869年、イタリアに戻ったリアはサンレモに居を構え、テニソンの詩すべてに挿絵を付けるというプロジェクトに着手した。1885年、それはまだ進行中で、彼はテニソンの長男ハラム（将来のオーストラリア総督）に手紙を書き、彼の花嫁オードリーの写真を褒め称える一方、進捗状況を報告している。彼はぎっしり詰まったトランクを携える旅行についての詩的な自己風刺をもって、次のように手紙を終える（手紙によれば、3巻の本のうち2巻分だけ空きがあったようだ）。「聖書！ シェイクスピア！ テニソン！ それらをぎっしり詰め込み、圧縮することは全く無駄だった。（中略）私はシェイクスピアと聖書を梱包して郵送し、"テニソン卿"だけを残した！」

*訳者注：イギリスで王が任命する、王室直属の詩人

Artist's Letter

親愛なるハラム様

昨日の夕方、無事に到着した写真を見て喜んでいます。あなたにとても感謝しています。恐らく、醜い目をした写真家の妻や、その他の女性関係者たちがセッティングしたと思われる1枚目の写真にも関わらず、彼女はいつでも本当に美しい目をなさっておられます。またどんな目の表情も可愛らしく、羨ましく思いました。サンレモに戻るとすぐに、写真をお気に入りのフレームに入れました。お顔はとても魅力的で―例えそれがペレグリン・ボブスコブ夫人やその他のどなたかのお顔になったとしても―ハラム・テニソン夫人ご自身でなくとも―見ていて心惹かれる写真になるでしょう。髪の整え方は完璧です。10人の女性のうち9人が、そのような単純な問題が自分たちの美しさを改善することに気付かず、逆にヤギの巻毛やその他のぞっとするようなものを好むとは、何と奇妙なことでしょう！

私の親愛なる少年、あなたに感謝します。同様にあなたのオードリーによろしくお伝えください。あなた方ご両人が私に真の喜びを与えてくださったことに対して。私は明日ここを立ち、故郷サンレモに戻ります。ミラノまで行って、それからサヴォーナへ。汽車の旅行は不安で大嫌いです。というのも、体がとても弱いからです…（中略）私は200点のテニソンの挿絵のうちの120点を、サンレモに送ります。これら120点は今現在、かなりうまくできあがっています。将来の作業全体についての詳細は…（中略）あなたは幸せな結婚をされ、とても幸運です。十分に価値のある幸せでありますように。あなたのご両親のためにも。あなた自身のことを話されなくとも、あなたは決して悪い人ではありません。

さようなら、私のハラム。愛情を込めて、エドワード・リア。

July 19

There is little to be said for this place — it is so perfect. Nothing but praises. The heat is not at all bad and there is always good relief. It quite exceeds my expectations. There is beauty everywhere — comfort — freedom. Mind and body are at rest and I expect to be very much benefited by this. Rest your mind entirely of any "homo" — possibilities. I hope you were not as depressed as I was in Paris. Everything is quite simple and well now.

Just received word from Duchamp that Man Ray is coming over — arriving the 32nd.

Best of luck and wishes for you! Would be very glad to hear from you — here.

Yours

B. P.

ベレニス・アボットが今日知られているのは写真家としてである。特に彼女を有名にしたのは、**1930**年代の**NY**の街や建物を撮影した**10**年がかりのプロジェクトや、彼女のカメラの前でポーズをとるジェイムズ・ジョイス、ジャン・コクトー、ウジェーヌ・アジェらの決定的な肖像写真である。そのうち、**19**世紀後半のパリの、慎ましやかな写真による記録者だったウジェーヌ・アジェついては、その非凡な業績をアボットが再発見し、後世のために保存した。しかしアボットの出発点は彫刻家になるための修行だった。アボットは第**1**次世界大戦中、**NY**在住のマルセル・デュシャン(p.45)に出会い、彼や彫刻家で詩人、派手好きな変わり者エルザ・フォン・フライターク・ローリングホーフェンに勧められて、**1921**年**3**月、パリに向けて出発した。航海の途中、彼女はロダンに学んだアメリカ人彫刻家ジョン・H・B・ストーズに出会った。ストーズを通して、アボットはアーティストたちのモデルという仕事を見つけた。彼女はラグタイム・ダンス*を教え、彫刻を数点売ったが、通いたいと願っていたアントワーヌ・ブールデルの教室に入るだけの金銭的余裕はなかった。モンパルナスのアーティスト地区で彼女はデュシャンや、デュシャンに**NY**で紹介されていた実験的な写真家マン・レイと再会した。レイもまた**1921**年、デュシャンとのアメリカン・ダダの出版の失敗に失意して、パリに向けて旅立っていたのである(p.69)。

アボットは都会を離れて短い夏休みをとり、コート・ダジュールの小さな町ブリニョールからストーズへ手紙を書いている。パリで「完全に解放された」と幸福感を得たにも関わらず—アボットにとっては、レズビアンとして自分を表現できるという自由—そこでの彼女の人生はうまくいっていない。彼女は秋になると「突然の直観の閃き」で、ベルリン行きの汽車に乗り、**10**月に再びストーズに手紙を書く。「ここは私が感動した初めての場所です。涙が流れたほど…エネルギーや力が大気に満ち溢れています」。しかし**1920**年代のドイツは経済の破綻状態にあった。

生活の糧を得ることができないままアボットはパリに戻った。ナイトクラブでマン・レイと偶然再会した彼女は、自分と違って彼の創造的人生がいかに順調に運んでいるかを聞かされた。彼はスタジオ助手を首にしたばかりだったので、アボットに仕事を提供した。**1926**年、マン・レイから写真家としての商売を学んだ後、彼女はパリに自分の肖像写真スタジオを開業した。

* 訳者注：**19**世紀末から**20**世紀初頭にかけて流行した草創期ジャズの影響を受けたダンス・スタイル

*ベレニス・アボット(1898-1991)から
ジョン・ヘンリー・ブラッドリー・ストーズへ
1921年7月19日*

Artist's Letter

この場所について言うことはほとんど何もありません—完璧です。賞賛以外に何もありません。プレッシャーは全く悪くありません。常にいい安心感があります。それは私の期待をはるかに超えています。至る所に美、慰め、自由があります。心と身体は平穏で、これで利益が上がればと願っています。「ホモセクシュアル」の可能性のある心を、完全に休めてください。私がパリにいた時のように、あなたが気落ちしていないことを願っています。今は、すべてが非常にシンプルで順調です。

デュシャンからマン・レイがやって来るという知らせを受け取りました。**22**日に到着するそうです。

ご幸運とご多幸を祈ります! あなたからこちらへご連絡をいただければ幸いです。　　　　　　　　B.A.より

CARTE POSTALE

Correspondance   Adresse

G Braque
Gorgues
(Vaucluse)

Mes chers amis
Rentré sans incident
à Gorgues je vous envoie
un amical bonjour.
Quel Mistral !
Ma chère
Carola écrivez bien
moi - J'ai été avec
heureuse d'avoir
de bonnes nouvelles Braque
ou voilà deux
Marcelle

Mr Dermée
7 Rue Vindée
La Celle St Cloud

(Seine & Oise)

1912年7月下旬、ジョルジュ・ブラックと彼の新婚の妻マルセルは、プロヴァンスの小さな町ソルグで、ピカソと彼のガールフレンド、エヴァ・グエルと合流した。1908年以来、ピカソとブラックは、2次元のイメージ制作を再概念化することに、共同して取り組んでいた。後にこれはキュビスムとして知られるようになる。2人は「互いにロープでつながれた登山家たち」のようだと、ピカソは冗談を言った。ソルグでの夏の間、ピカソとブラックは料理を共にしながら、彼らのますます抽象化する作品に、「触ることができるオブジェクトの感覚」を再導入する方法について議論したりした。ブラックは絵の具に砂を加え、ピカソは藤で編んだ椅子の座部を見つけて来て、それを静物画の上に貼り付けた。ブラックは、近くのアヴィニョンの店で、本物と錯覚するようなオークの木目模様の壁紙をロールで購入し、それを切り取った断片をキャンバスに糊付けした。一連の《パピエ・コレ》、別名コラージュの始まりである。これがキュビスムの現代美術に対する、最も生産的で計りしれない貢献の1つとなった。

その後の数年間、ブラックとマルセルは毎年夏、ソルグに滞在した。1914年8月、彼らがパリに戻ると第1次世界大戦が勃発し、ブラックはフランス陸軍に召集された。1915年5月、惨い地雷戦場カーレンシーの戦いで、彼は榴散弾を頭に受けて視力を失った。傷が治り、視力が回復すると、彼は兵役を一時免除されてソルグに戻った。彼が再び絵を描くことができるようになるのは18ヶ月後である。1918年8月、ドイツ軍が遂にソンム河から撤退したためブラックは直ちに除隊され、ソルグに「無事に戻った」。

このアヴィニョンのホリデー・ポストカードは、ベルギーの詩人ポール・ダーメとその妻でルーマニア生まれの詩人キャロライン・ゴールドスタインに宛てたものである。ゴールドスタインは、彼女のペン・ネーム、セリーヌ・アルノーで手紙を書いている。2人は間もなくして、戦後の国際的なダダ運動と密接な関わりを持つことになり、アナーキーな指導的精神を持つトリスタン・ツァラ(p.69)は、パリにおけるダダの公式代表としてダーメを指名した。アルノー(=ゴールドスタイン)はフランシス・ピカビアの雑誌『391』を含む多数のダダの出版物に寄稿し、ダダのパフォーマンスに参加した。ブラックが1912年に初めて実験し、彼とピカソが命名したメディウム「コラージュ」は、その副産物であるフォトモンタージュと共に、ダダの「破壊兵器庫」の中のお気に入りの武器になる。

ジョルジュ・ブラック(1882-1963)、**マルセル・ブラック**(1879-1965)から**ポール・ダーメ、キャロライン・ゴールドスタインへ** 1918年8月17日

Artists' Letter

G.ブラック　ソルグ町(ボークリューズ県)
親愛なる友人たち
無事にソルグに戻りました。私はあなたに友情の挨拶を送ります。冷たい北風(ミストラル)が吹いています!
G.ブラック
親愛なるキャロライン、私に手紙をください。マルセルから、あなた方2人についての良いニュースを聞いて嬉しく思いました。

26th July,
Bridge of Turk.

My dear Sir

I cannot give a satisfactory answer to your letter. as it depends entirely on the particular form of affection of throat or chest by which you are affected whether Italy will be good or bad for you. of Australia I know nothing. but as in all probability. both the accommodations and medical advice are inferior there, and assuredly you would find no architecture to interest you. I think the disadvantages a ... counterbalance the probable gain; The great thing is to keep your mind agreeably employed. and not to expose yourself rashly. With precautions - you may obtain almost any climate in Italy you choose. provided you do not allow yourself to be led away by any temptation into the shady side of a street, when you know you ought to keep the sunny one. — I think Italy - take it all in all. an excellent country for an invalid; but

JOHN RUSKIN
JUL 1853
JOHN RUSKIN

ジョン・ラスキン（1819─1900）から
不詳の人へ
1853年7月26日

ジョン・ラスキンとユーフェミア・チャーマーズ・グレイ（エフィとして知られる）は1848年に結婚した。彼らが初めて会った時、グレイは12歳の少女で、ラスキンはオックスフォードを卒業したばかりだったが、既に本を出したり、製図や水彩画に才能を発揮したりしていた。ラスキンは、1843年と1846年に『近代画家』の最初の2巻を出版したことで、ビクトリア朝のイギリスで最も権威あるアートの代弁者としての道を歩み始めた。彼の次の大きなプロジェクトとなるヴェネツィアのゴシック建築に関する2冊の本は、1849〜1852年のヴェネツィア長期滞在を踏まえたものである。ラスキンは中世のヴェネツィアの「あらゆる断片」を「石1個ごとに」研究して図示していたので、放っておかれたエフィは社会の眺めを楽しむことができた。彼らは少なくともそれぞれに幸せだったように思える。しかし、結婚生活はセックスレスのままであり、ラスキンの仕事への執着や、彼を支配しようとする両親と彼の親密な関係に耐えなければならない緊張感が漂っていた。

イギリスに戻ったラスキンは、自らラファエル前派兄弟団と名乗る若い画家たちのグループの支持者になった。エフィが彼らの中の1人、ジョン・エヴァレット・ミレーの歴史画のためにポーズをとった後、ラスキンはスコットランドで休暇を共に過ごそうとミレーも誘った。1853年7月の上旬、彼らはグレンフィンラスのブリッグ・オウ・タークに到着し、そこでコテージを借りた。ラスキンは次の本『ヴェネツィアの石』を完成させ、ミレーは肖像画の準備のためにエフィのドローイングを制作した。受取人は不明だが、ラスキンは胸の問題を抱えたある旅行者に宛てて手紙を書いている。漠然としつつも情のこもった健康への助言に満ち溢れたこの手紙には、彼の背後で兆し始めていた情事の手がかりは何もない。まるでエフィが縁にフリルのついた便箋を彼に与えたかのように見えるが。

それから1年もせずに、彼らの結婚は終わった。エフィは1854年7月15日に「不治の性的不能」（後に彼が反証を申し出た）を理由にラスキンと離婚した。1855年7月、彼女はミレーと結婚した。

Artist's Letter

ブリッグ・オウ・ターク

あなたの手紙に満足のいく答えを出すことはできません。イタリアがあなたにとって良いか悪いかは、あなたが罹(かか)っている喉や胸の病気に特有な病状次第だからです。オーストラリアについては何も知りませんが、可能性としては、宿泊施設や医療アドバイスは劣っているでしょう。また、あなたが興味を抱くような建物を見つけることはないでしょう。私は不利な点が、考えられそうな利点を相殺するだろうと思います。大事なことは、あなたの心に心地よく働いてもらうことで、ご自身を性急にさらけ出したりなさらないことです。用心なされば、あなたがイタリアを選んだとしても、ほぼどんな天候でも大丈夫でしょう。もしあなたが日の当たっている側(がわ)をキープすべきだと分かっている時に、誘惑に負けて日陰側に誘い込まれたりしない限りは。私はイタリアだと思います。何をさておき、病人にとって極めて重要な国だと思います（中略）フランスの空気は申し分ないと思います。寒すぎると感じたら、鉄道でパリに向かい、そこからニースに向かってください。（後略）

Dear Miz, Hans,

It isn't this crowded nor
this sunny here at the moment
but we love it; have a large
place and lots of room to
paint — which is exactly what
we're doing! The town is simple
& comfortable... really a french
Provincetown. Hope you're both
well and having a good summer.
Write us, we hope: What's new?

Villa Ste-Barbe
rue Ste-Barbe
St.Jean-de-Luz (B.Pyr.)
France
Love Helen + Bob.

AVION

Mr. & Mrs. Hans Hofmann
Provincetown
Mass.
U.S.A

PAR AVION

　ヘレン・フランケンサーラーとロバート・マザウェルは1958年の春に結婚し、その夏、新婚旅行の数ヶ月間をスペインと国境を接するフランスの海辺の町サンジャン・ド・リュズで過ごした。この葉書でフランケンサーラーが彼女のかつての師、ハンス・ホフマンとその妻マリア（"ミズ"）に説明しているように、彼女とマザウェルはその町のメインビーチの高台にある「絵を描くための沢山の部屋」がある別荘を借りて、そのスペースを生産的に利用していた。

　3番目の妻、フランケンサーラーより12歳年上だったマザウェルは抽象表現主義を開始した画家の1人で、ジャクソン・ポロック（p.121）と同様、1940年代にNYのギャラリスト、ペギー・グッゲンハイムの支援を受けていた。ヴィラ・サント＝バルブベでは、彼は10年前に開始した《スペイン共和国へのエレジー》というタイトルの連作を制作し続けた。影のような縦の形と卵の形が陰鬱なダンスを踊っているようなこの絵画シリーズは、最終的に170点を超えた。

　フランケンサーラーは、アメリカの抽象画家の若い一群に属していた。彼女は1950年にポロックのドリッピング絵画を初めて見て、身振りによる抽象の可能性に興奮し、「この土地に住み…その言語を習得したい」と思ったことを思い出す。彼女自身が「描くための源泉」と呼んだ有力な評論家クレメント・グリーンバーグと関わった5年間に、彼女は可能な限りの展覧会に足を運び、主要なアーティストたちと出会った。そしてその間、生のキャンバスに非常に薄い絵の具を直に染み込ませる独自の「ソーク・ステイン」方法を開発した。サン・ジャン・ド・リュズで描かれた《シルバー・コースト》（ベニントン・カレッジ、バーモント州）は、雲のような青灰色の染みと、けばだった筆跡、跳ねかけた赤、黒、黄土色の絵の具との、あたかも温室のような心地よい融合である。

　フランケンサーラーとマザウェルは共に裕福な家庭出身で、特権階級ならではの旅行と歓待のライフスタイルを楽しんだ。彼らからハンス・ホフマン宛てのメッセージは、ハンス・ホフマンが78歳でプロビンスタウン[*1]の学校を退職した直後、ホフマン夫妻に届いたものである。同校は、ドイツ、アメリカと続いたホフマンの一連の教師生活の最後となるもので、この間ホフマンは常に尊敬され、彼の下で学んだ有名アーティストの出席名簿から判断すると非常に有能な指導者だった。

*1　訳者注：マサチューセッツ州の街
*2　訳者注：B.Pyr＝ピレネー・アトランティック県ビュケー湾の略と思われる

ヘレン・フランケンサーラー（1928-2011）、
ロバート・マザウェル（1915-1991）から
マリア・ホフマン、ハンス・ホフマンへ
1958年7月7日

Artists' Letter

親愛なるミズ＆ハンス

　現時点ではここは人も少なく、晴れていて、気に入っています。広い場所と描くための部屋がたくさんあって、私たちは今、まさに描いている最中です！ 町はシンプルで快適です…まるでフランスにおける「プロビンスタウン」のようです。お2人ともお元気で、素敵な夏をお過ごしください。お手紙を待っております。何か新しいことはありましたか？
ヴィラ・サントバルベ、サンバルベ通り
サン＝ジャン＝ド＝リュズ（B. Pyr）[*2]フランス。
愛を込めて、ヘレン＆ボブ

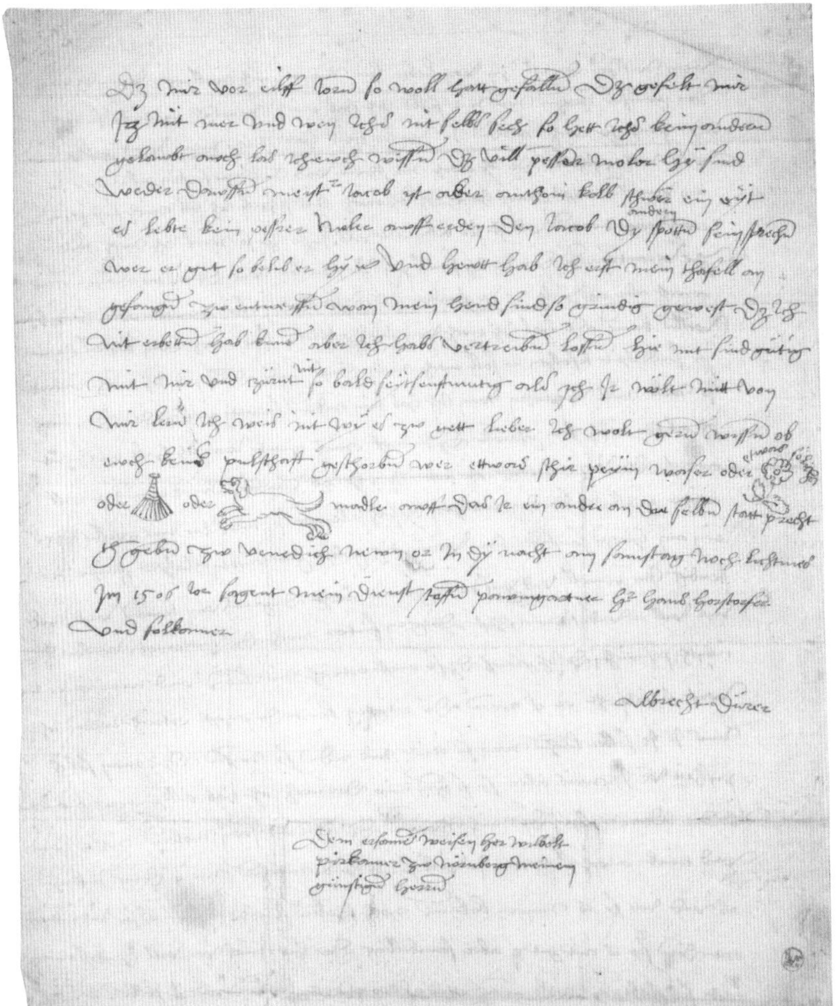

Albrecht Dürer

1505年の終わり頃、アルブレヒト・デューラーはニュルンベルクからヴェネツィアへの2度目の旅行に出た。1494年の秋、1回目の旅をした彼は若く、彼とイタリアン・ルネサンス・アートとの唯一の接点は版画だった。彼は自信に溢れ好奇心が強く、独創的だった。アルプスを越える途中に彼が描いた水彩による風景画は、風景画がアートの主題として美術史に登場したことを示すものだった。

有名なアーティストで、繁盛する工房のマスターだったデューラーはヴェネツィアに戻った。しかし彼はまだ、遠近法と古典のプロポーションの知識を完成させようとする欲望に突き動かされていた。その気持ちはニュルンベルクで制作を行っていたヴェネツィアの画家、ヤコポ・デ・バルバリ（マスター・ジェイコブ）によって最初に点火された。デューラーはヴェネツィア到着の数週間後に、彼の親友で、人文主義の学者ヴィリバルト・ピルクハイマー［ニュルンベルク在］に手紙を書いたが、彼ら自身の土俵でイタリアのアーティストたちに挑戦することを熱望しているように見える。ヴェネツィアの教会のためにドイツの商人たちから依頼を受けて制作した《薔薇の冠の聖母》（プラハ国立美術館）は、まさにこれを実践しようとするものだった。

Artist's Letter

アルブレヒト・デューラー（1471-1528）から
ヴィリバルト・ピルクハイマーへ
1506年2月7日

親愛なるマスターへ

まず何よりも私からの敬意をお伝えいたします！ 万事、何事もないようであれば、心からお喜び申し上げます。私は先日、あなたに手紙を差し上げました。その手紙があなたに届いていることを願っています。その間、母から私に手紙が届き、私があなたに手紙を書かないことについて叱られました（中略）母は私があなたに十分にお詫びしなければならないと言っています。母はいつもそのように、とても気にかけています。（中略）

あなたもここ、ヴェネツィアにいらっしゃったなら、と思います！ イタリア人の中には私の工房を訪ねて来る立派な人たちが大勢いて、その数は日ごとに増えています。工房は多くの人に気に入ってもらっています。センスと知識を持った人、素晴らしいリュート奏者や管楽器奏者、絵画の審査員、高貴な心情と立派な徳を持った人たち（中略）

イタリア人の中には、画家たちと食べたり飲んだりしないように私に忠告する良い友達がたくさんいます。画家たちの多くは私の敵であり、彼らは教会や私の作品を見ることができる場所なら所かまわずそれをコピーします。そして彼らは私の作品をののしり、そのスタイルは伝統にのっとっておらず、それ程良くないと言うのです。しかし、ジョヴァンニ・ベッリーニは、多くの貴族たちの前で私を高く賞賛しています。彼は私から何かを手に入れたいと思い、自ら私のところにやって来て、自分のために何かを描いてくれと頼みました。彼はそれに対して十分な金額を払ってくれるでしょう。また誰もが、彼は何と正直な人か、と私に語ってくれます。ですから私は彼と大変親しくしています。彼は非常に年をとっていますが、しかし仲間内では最高の画家です。11年前に私を非常に喜ばせたものも、今はもう私の心を動かすことがありません（中略）マスター・ジェイコブより多くの優れた画家が、ここにはいることをあなたも知らねばなりません（中略）

友よ！ あなたの恋人の中の誰が亡くなったか知りたい。例えば、「香水」のような人、または「花」のような人、または「猟犬のふさふさした尻尾」のような娘。あなたは彼女の代わりを、他の人で埋めるかもしれない（後略）

APRIL 17   POST CARD   air   [postmark: HIGA... 18.IV JAPAN] [stamp: NIPPON 日本郵便 50]

DEAREST EVA

KYOTO BEYOND ALL
DREAMS
SOUND OF BROOK
UNDER MY WINDOW
CHERRY PETALS
LIKE SNOW IN AIR ·
FEET ON CRUSHED
STONE
WATER REFLECTING

LOVE AND BE WELL
CARL

EVA HESSE DOYLE
EWING PAVILLION
68TH ST & FIRST AVE
NEW YORK CITY
NEW YORK

USA

1970年春の第10回東京ビエンナーレのために来日したカール・アンドレはエヴァ・ヘス（**p.117**）に、彼女が気に入りそうな絵葉書を送った。京都北西部にある龍安寺という禅寺と天皇陵墓を写した版画、もしくは絵画の葉書だった。龍安寺の庭園は波が広がるような文様の白い砂利に囲まれた、不規則な形の岩で構成されており、その文様は僧が毎日、熊手で丁寧に描いている。この庭園は「枯山水」または「水のない風景」の有名な作例の1つで、瞑想のための中心として考えられている。自然な形とリズミカルなパターンの組み合わせによるその庭園はヘスの彫刻、さらにはレンガや金属板など、標準的な工業用生産ユニットの規則的配置に基づくアンドレのミニマリズム表現方式と、何か本質的なものを共有している。アンドレの「軸対称性」の核となる考え方は、「鉄と錆の水平線、大量の石炭と資材」に囲まれて数年間働いた、アメリカの鉄道現場での仕事に関連している。

　第2次世界大戦後の日本のアーティストたちは工業用原料や天然素材を使用したり、パフォーマンスやインスタレーションなどの代替メディアを探求しながら、アメリカと類似したアートの境界の拡張に携わっていた。〈人間と物質〉というタイトルの下で開催された1970年の東京ビエンナーレは、アメリカ、ヨーロッパ、日本のラディカルなアーティストたちが、初めて一同に会す大規模な集まりとなった。アンドレと共に日本を旅行し、ビエンナーレに出品したのは、ヘスの親友でクリエイティブな協力者であるソル・ルウィットで、彼も数日後、龍安寺の石庭の絵葉書を送っている。

　アンドレとルウィットは共に、数世紀前に造られたこのミニマリズム的インスタレーションとの出会いに明らかに興奮していた。触発されたアンドレは17音の俳句にそれとなく倣った日本の詩の形式で絵葉書を書く。それは確かに下手なモノマネではあるが、「最愛のエヴァ・ヘス」に対する真剣な慰めのメッセージでもある。前年の4月、ヘスは脳腫瘍の手術を受けていた。手術後の経過は良くなかったが、彼女は制作と発表を続けた。アンドレが日本から絵葉書を出してから1ヶ月後の1970年5月22日、彼女は昏睡状態に陥り、5月29日にこの世を去った。

Artist's Letter

4月17日　最愛のエヴァ
京都は　全ての夢の向こう側
窓の下には　川の音
空を舞う雪のような　桜の花びら
砕石を　踏む足
愛を映す水
元気になってください
カール

c/o Thos. Cook Salisbury S. Rhodesia.

22/2/51 — Dearest Erica I got here about a week ago. I stayed at Zimbabwe and the country from there to here is too marvellous. It is like a continual Renoir landscape and Zimbabwe itself is incredible. Robert Helen — Percy has left and will be back in London soon. They started to work it up. Thrilling here and I met someone who has a farm near Zimbabwe and am going back there now. That I have got myself + Robert? here worth his sterling family well from you. to try and do a get of 3 quickly — could the gallery possibly advance me £50 as now that I have left Robert I have practically no money. I have to either travel by air which I can't afford and trying to get a boat from Beira up the east coast they call in at all the ports and then I want to get off at port Sudan and go to Thebes and rejoin the boat again a Alexandria to Marseilles. I am trying to get a passage on a boat that leaves Beira on the 18th of March and I should be home about the end of April. I would be terribly grateful if you could do this for me everyone is so terribly nice here that I feel like spending on them all the time and paints

旅先より

1950年11月、フランシス・ベーコンはロバート・ヒーバー＝パーシーと一緒に南アフリカに船で向かった。「狂った少年」として知られるヒーバー＝パーシーは、ロード・バーナーズの恋人兼仲間だったが、1950年4月、バーナーズは他界した。ベーコンは、ローデシア（現在のジンバブエ）に移住していたバーナーズの母親を訪ねた後、エジプト経由でイギリスに戻る予定だった。2年前、エリカ・ブラウセンは、彼女が設立したばかりのハノーバー・ギャラリーでベーコンの最初の展覧会を開いたが、このギャラリーが支援するアーティストには他に、ルシアン・フロイドが含まれていた。幅広い読書家ながら十分な教育を受けたことがなかったベーコンは、軽い雑談とお金の請求が入り混じった、彼特有の句読点のない手紙を書いている。ブラウセンは、即座には応答しなかったようだ。というのも、ベーコンは5日後に「再度お願いして申し訳ありませんが、すぐに50ポンド（現在の約1500ポンド）*1を送っていただけますか」と書いているから。

*1 訳者注：約20万円
*2 訳者注：care ofの略（様方）
*3 著者注

Artist's Letter

フランシス・ベーコン
（1909-1992）から
エリカ・ブラウセンへ
1951年2月22日

c/o*2 トス・クック、ソールズベリー市、南ローデシア

最愛のエリカ

私は約1週間前にここに来ました 私はジンバブエに滞在し この国はどこもかしこもあまりにも素晴らしく ルノアールの風景画の続きのよう ジンバブエそのものも信じがたいくらい ロバート・ヒーバー＝パーシーはここを発ちました まもなくロンドンに戻るでしょう 私は仕事を始めたところで ここでの仕事は大変スリリングです また私はジンバブエの近くに農場を持っている人に会い 今そこに向かっているところです ロバートのスナップ写真（?）*3を撮ろうと試みて3枚をすばやく撮りました ギャラリーで50ポンドを何とか融通して頂くことは可能ですか？ ロバートと別れてしまった今 実のところお金がありません 帰りの切符を再度買って乗り換え 東海岸のベイラから乗船するつもりです それは全ての港に寄港し そこでスーダン港で下船してテーベに行き アレクサンドリアでマルセイユ行きの船に乗船したいと思います 3月18日ベイラ発に乗船して 4月末には帰宅するはずです もしあなたが私のためにこれをしてくださるなら 私はとても感謝しなければなりません ここでは誰もがとても素晴らしく 彼らに食事をたかるのは好きではありません また絵の具とキャンバスは非常に高価で あなたはバークレー・ストリートのトス・クックのオフィスから ソールズベリーの支店へ送ることができます 電報で私に送ってください 私は次の3週間はソールズベリーに行ったり来たりします 男は驚くほど飽食で 金持ちで シャンパンを毎朝11時には飲んでいます アーサーに伝えてください ローデシアの警察の 糊の効いた短パンや磨き上げられたゲートルを身に着けた彼は言葉で表すにはあまりにもセクシーすぎます 私は20年ぶりにそう思います 私たちはイギリスにいると気が狂います 私はあなたがこの国を大好きになることを確信します 私の全ての愛を全部あなたに

フランシス

Cueva de Bellamar, Matanzas
Bellamar Cave, Matanzas
Héctor.... Bellamar, Matanzas

Dear Judy:
Here I am in Cuba and working.
It really is a great experience to
be working in my homeland.
I am in a cavernous area in
a mountain region in the province of
Havana.
Will show the work in New York in
November. Have a good summer and
more to New Haven.
All the best, Love, Ana

TORNEO BOXEO
GIRALDO CORDOVA
CARDIN
CUBA correos 1973 13

TARJETA POSTAL

Judith Wilson
517. East 13th Street
Apt 2 B
New York, New York
10009
USA

旅先より

アナ・メンディエタ（一九四八─一九八五）から
ジュディス・ウィルソンへ

一九八〇年八月二〇日

　アナ・メンディエタは「私はここ、キューバの土の上で制作しています。本当に素晴らしい経験です」と、彼女の友人で美術史家のジュディス・ウィルソンに手紙を書いた。1980年8月のこの旅行は、メンディエタの父が身の安全を考えて彼女と姉をアメリカに送った12歳の時以来、彼女がキューバの地を踏んだ最初の機会だった。父はその後まもなくしてフィデル・カストロ大統領に反対したかどで逮捕され、その後18年間を刑務所で過ごした。姉と離れ離れになったメンディエタはアイオワの非人道的な矯正学校に預けられ、その後は里親の下で生活することになった。

　20代になったメンディエタは、アイオワ大学大学院のインターメディア・プログラムで学んだ後、「地球─身体彫刻」を展開した。それは彼女の身体、自然環境、血液や土、火などの基本的材料が、パフォーマンス、写真、ビデオの焦点を形作るものだった。1971年のメキシコへの訪問を契機に「源泉に戻り、そこにいることによって魔術的な力を獲得できるように」彼女は《シルフエタ（シルエット）》シリーズを開始した。石や葉、さらには火を点けた火薬などさまざまな手段を使って地面に自分の体の輪郭をトレースした。1981年、彼女はキューバに2度目の帰還を行い、そこでエスカルラレス・デ・ジャルコの岩に「ルペストリアン彫刻」*1を刻んだ。「私のアートは、あらゆるものに流れる1つの普遍的なエネルギーへの信念に基づいている」と彼女は記している。「昆虫から人間へ、人間から亡霊へ、亡霊から植物へ、植物から銀河へと」。

　1978年、NYに移ったメンディエタはフェミニスト運動に関わり始め、1979年、女性アーティストによる共同ギャラリー、A.I.R.ギャラリーで《シルフエタ》を展示した。A.I.R.ギャラリーの共同設立者ナンシー・スペロを通して彼女はミニマリストのカール・アンドレに会った（p.105、205）。彼らの仕事と同様、互いの人柄は相容れないように思えた。メンディエタは激し易く、ずけずけとものを言い、アンドレは無口で几帳面だった。しかし、彼らは最終的に1985年1月に結婚した。9月8日の夜、アンドレは救急隊を呼び、妻が34階のマンハッタンのアパートから「どういうわけか飛び降りた」と告げた。彼は殺人罪で告訴された。大量に酒を飲んだ後、彼らは激しい口論をしたようだったが、メンディエタの死に繋がる出来事ははっきりと立証されず、アンドレは無罪となった。しかし、友人たちはメンディエタが自殺したとは信じることはできなかった。「彼女は私に新作を作っていると言っていた」とある友人は思い出す。「女性アーティストは年をとるまで認められないから、彼女は酒と煙草は口にしないつもりとも。彼女はそれを心いくまで楽しむために長生きしたいとも語っていた」と。

*1 著者注：先史時代の洞窟に掘られた浮き彫り
*2 訳者注：コネティカット州南部の都市名

Artist's Letter

親愛なるジュディ

　私はここ、キューバの土の中で制作しています。祖国で制作することは本当に素晴らしい経験です。私はハバナ州の山間部の洞窟地帯にいます。

　11月にNYで作品を発表します。良い夏をお過ごしください。またニューヘブン*2にお立ち寄りください。

敬具、愛、アンナ

Dear Jackson -   Sat -

I'm staying at the Hôtel Quai Voltaire, Quai Voltaire
Paris, until Sat the 28 then going to the South of
France to visit with the Gimpel's - I hope to get
to Venice about the ~~first~~ early part of August - It
all seems like a dream - The Jenkins, Paul & Esther
were very kind in fact I don't think I'd have
had a 'chance' without them - Thursday nite
ended up in a Latin quarter dive, with Betty
Parsons, David who works at Sidney's, Helen Franken-
thaler, The Jenkins, Sidney Geist & I don't remember
who else, all dancing like mad - Went to the flea
market with John Graham yesterday - saw all the
left bank galleries, met Druin and several other
dealers (Tapie, Stadler etc). am going to do the
right bank galleries next week - & entered the
Louvre which is just ~~an~~ across the Seine outside
my balcony which opens on it - About the "Louvre"
I can ~~say anything~~ - It is over whelming - ~~It is~~
beyond belief - I miss you & wish you were ~~here~~
sharing this with me - The roses were the most beauti-
deep red - Kiss Gyp & Ahab for me - It would be
wonderful to get a note from you - Love Lee -
The painting here is unbelievably bad (How are you
Jackson?)

1956年夏、ヨーロッパへの最初の旅行で、パリから夫ジャクソン・ポロックへ手紙を書いたリー・クラスナーは、「全てが夢のように思えます」と感激を語っている。彼女の旅行の背景—ポロックのアルコール依存症とうつ病から彼女を解放するための、結婚から11年目の試験的別居—にも関わらず、彼はホテルに赤いバラを送った。パリ在住のクラスナーの友人関係者の中でごく親しかったジェンキンス夫妻がホスト役を頼まれ引き受けた。クラスナーは彫刻家のシドニー・ガイスト、画家のヘレン・フランケンサーラー（p.201）、ポロックの元アート・ディーラーのベティ・パーソンズに触れている。1941年にクラスナーとポロックを結びつけた展覧会を組織したのが、ロシア系アメリカ人アーティスト兼コレクターのジョン・D・グラハムだった。彼はクラスナーを蚤の市へ有無を言わず探索に連れ出すような仲間だった。後のポロックを世界的に有名にしたスプラッシュ・アンド・ドリップ絵画について、ポロックはグラハムを「それが何であるかを真に分かっている唯一の男」と語った。クラスナーは、ポロックをフランスのアート界に紹介する1952年のパリでの展覧会準備を手伝ったミシェル・タピエについても言及している。

クラスナーは、「信じられないほど悪い事態を招く」ような現代フランス絵画との競争はない、とタピエを安心させる。クラスナーの夏の旅行計画には、行き先としてロンドンのディーラーであるチャールズ、ピーター・ギンペル兄弟が持つメネルブのカントリー・ハウスや、ヴェネツィア・ビエンナーレが含まれていた。彼女は飼犬ジプとアハブにキスを送る。ポロックの新しいガールフレンドで若いアーティストのルース・クリグマンが、彼女の留守中にスプリングスの2人の家に移って来たことを、彼女は知らない。[手紙から]3週間後の8月11日、ポロックは車の運転中の飲酒が基で亡くなった。クリグマンとのドライブ中に車が木に衝突したためだった。ヴェネツィア旅行を取りやめ、クラスナーは葬式の準備をするために帰国した（p.63）。

*1 訳者注：シドニー・ジャニス・ギャラリーと思われる
*2 著者注

Artist's Letter

土曜—

愛するジャクソン—私はパリのケ・ヴォルテールにあるホテル・ケ・ヴォルテールに滞在し、28日の土曜まで南フランスに行き、ギンペル兄弟を訪れるつもりです。8月の初め頃に、ヴェネツィアに行きたいと思っています。全て夢のようです。ポールとエステルのジェンキンス夫妻はとても親切でした。本当に彼らなしには、この機会はありえませんでした。

木曜日の夜はベティ・パーソンズ、シドニーのところ*1で働いているデイヴィット、ヘレン・フランケンサーラー、ジェンキンス夫妻、シドニー・ガイストと一緒にラテン地区に繰り出しました。その他の人たちは覚えていません。皆、狂ったように踊りました。昨日は左岸（さがん）のギャラリーを全部見て、ドルイン（ドルーアン）*2とその他のいくつかのディーラーたち（タピエ、スタドラーなど）に会いました。来週は右岸（うがん）のギャラリーに行くつもりです。ルーブル美術館に入りました。それはバルコニーが面したセーヌ河を渡ったところにあります。ルーブルについては、何も言うことができません。圧倒されます—信じられないくらいに。あなたがいないと寂しい、あなたも同じ気持でいてくれたら。バラは最高に綺麗な濃い赤でした。私の代わりにジプとアハブにキスを。あなたから手紙を頂けたら嬉しい。愛を込めて、リー

こちらの絵は信じられないほど悪いです（ご機嫌はいかがですか、ジャクソン？）

CHAPTER8
SIGNING OFF

署名を終える時

Artists' Letters

もっとよく見る

I see better

Dear Sir,

Your very Obliging Letter inclosing a Norwich Bank Bill, Value Seventy three Pounds, on Mess.rs Vere & Williams, I acknowledge (when P.d) to be in full for the Landscape with Cows I sold demands.

I am glad Sir that the Picture got no Damage; if ever you should find anything of a Chill come upon the Varnish of my Pictures, owing to its being a Spirit of Wine Varnish, Take a rag, or little bit of Sponge with Nut oil, and rub it till the mist clears away, and then wipe as much of it off as a few strokes with a clean Cloth — this done once or twice a year after damp weather you will find convenient. — My swell'd Neck is got very painfull indeed, but I hope is the near coming to a Cure — How happy should I be to set out for Yarmouth

and after recruiting my poor Craggy Frame, enjoy the coasting along till I reach'd Norwich and give you a call — God only knows what is for me, but hope as the Pallat of Colors we all paint with in sickness —

tis odd how all the Childish passions hang about one in sickness, I feel such a fondness for my first imitations of little Dutch Landskips that I can't keep from working an hour or two of a Day, though with a great mixture of bodily Pain — I am so childish that I could make a Kite, catch Gold Finches, or build little Ships —

Believe me Dear Sir
with the greatest sincerity
Pall Mall   Your ever Obliged & humble
May 22.d 1788 —   Servt
                              Tho Gainsborough

P.S. I have recollected that a Stamp Rec.t may be proper.

Thomas Harvey Esq.re

Catton near
Norwich

8 · 06
2 · 6
1 · 81

トマス・ゲインズバラ
（1727-1788）から
トマス・ハーヴェイへ

1788年5月22日

サフォークの田舎で育ったトマス・ゲインズバラは早熟な才能を示し、彼が最初の自画像を描いたのは9歳の頃だった。彼は地主階級や俳優サラ・シドンズやデイヴィッド・ギャリックら上流階級の人物からの、数多くの優美な肖像画の需要に応えながら、18世紀イギリスにおける最も有名なアーティストの1人となる道を歩み続けた。1780年代までに、ゲインズバラはロンドン中心部の大きなタウンハウスに住み、定期的に王室から注文を受けていた。しかし彼は心のどこかで、自ら「フェイス・ビジネス」と呼んだものを嫌い、ほとんど儲けにならない、少年期に愛した風景画に還ることを切望していた。

1788年初頭、ゲインズバラは首の腫れ物にますます悩まされるようになった。彼は3年前からそれに気付いていたが、ついに痛みを感じるようになった。彼は無害な「海水湿布」を処方されたが、最悪の事態を恐れ、友人に「これが癌なら私は死んだも同然だ」と語った。しかし、その間も彼は自宅の陳列室から作品を売り続けた。その中には、ノーウィッチのコレクター、トマス・ハーヴェイが購入した風景画が含まれていた。ゲインズバラは、ハーヴェイへの最後の手紙の中の1つで（彼はちょうど2ヶ月後にこの世を去った）、ハーヴェイに絵画の管理方法についての詳細な技術的助言を行う一方、彼の健康と精神状態を率直に示す絵を添えている。彼がそれでよく知られていた突飛なユーモアが、沈鬱にこだましているかのようである。

Artist's Letter

拝啓

額面73ポンド、ヴェレ&ウイリアムズ宛のノリッジ銀行手形が同封された、あなたの非常にご丁寧なお手紙、ありがとうございます。私は牛とすべてのご要望を描き入れた風景画に対する全額を受け取った（支払われた）ことをお知らせいたします。

閣下、絵に損傷がなかったことを嬉しく思います。ニスの上に曇ったような部分が見つかった場合、それはワイン・ニスの性質から来るもので、ナッツ・オイルを含んだぼろ布、または海綿の小片を使って霧が消え去るまでこすり、きれいな布で2〜3回撫でながら拭き取ると曇りはとれます。これは年に1〜2回、ご都合のいい湿った天気の日の後に行ってください。

腫れている首は本当に痛みますが、回復に向かっていることを望んでいます。自分の哀れで壊れそうな体を治した後、ヤーマスに向けて出発し、ノリッジに着くまで海岸沿いを楽しみ、あなたを訪問したらどんなにか幸福でしょう。神だけが私にとって何が必要なのかを知っていますが、私の望みは、私たちの誰もが病気になっても描けるパレットです。

子供時代のありとあらゆる情熱が、病気にかかった者につきまとうのは何と奇妙なことでしょう。私は小さなオランダの風景画を初めて模写するのにひたすら夢中になって、体がどんなにきつくなっても、1日に1時間も2時間も制作を止めることなどできませんでした。私は子供だったので、凧を作ったり、金魚を捕まえたり、小さな船を造ったりできました。

私を信じてください、閣下
最高の誠意をもって、
あなたの変わらぬご恩を受けている忠順な僕
トマス・ゲインズバラ
ポール・モール*

＊ 訳者注：ペルメル街

Aix, 21 Septembre 1906,

Mon cher Bernard —

Je me trouve en un tel
état de trouble cérébrale,
dans un trouble si grand,
que j'ai craint à un
moment que ma frêle
raison y passât. Après les
terribles chaleurs que nous
venons de subir, une
température plus clémente a
ramené dans nos esprits
un peu de calme, et ce
n'était pas trop tôt, maint-
enant il me semble que je
vois mieux et que je pense
plus juste dans l'orientation
de mes études. Arriverai-je
au but tant cherché, et si longtemps
poursuivi ! —

Artist's Letter

親愛なるベルナール

　私はこのような不安定な精神状態にあり、時々、私のひ弱な思考力はもう駄目かもしれないと恐れています。たった今、ひどい熱波が襲来した後に、より穏やかな気温が我々の心に静けさをもたらしてくれました。それは、早すぎることもありませんでした。今や私には、それはもっとよく見ること、そして私の研究の方向について正しく考えることのように思えます。私は、これまで長い間、必死に努力してきた目標に到達できるでしょうか？ 私はそう願っています。しかしそれが達成されない限り、漠然とした不安感は残り、私が港に着くまで…すなわち、私が過去よりももっと進化させた何かを実現し、それによって理論を証明することができるまで、消え去ることはないでしょう。理論の証明は、それ自体は簡単なことです。人々が「重大な障害をもたらす」と考えるものの、証拠を示すだけのことだからです。だから私は研究を続けているのです。

　私はあなたの手紙を読み直し、いつも的はずれの答えをしていると気付きました。どうか、私を許してください。以前あなたに語ったように、その原因となっているのは、私が到達したいと願っている目標への、この変わらぬ専心だからです。

　私はいつも自然に倣って研究しています。ゆっくりと進歩しているように思えます。私はあなたが側にいるのが好きでした。何故なら孤独はいつも私の気を、少しばかり滅入らせるからです。しかし、年をとり、病気になり、老人たちに迫るあの人間の品位を落としめる麻痺に屈し、彼らの感覚を粗雑にする激情に支配されることに身を任すよりも、私は描きながら死ぬことを自分に誓ってきました。

　いつかあなたと一緒にいる歓喜の時間が持てるなら、私たちはこれについてゆっくり話し合うことができるでしょう。私がいつも同じことに立ち戻ってしまうことを許してください。私は自然の研究を通して私たちが見たり感じたりする全てのものの論理的発展を信じ、私の注意を技術的な問題に向けます。というのは、技術的な問題は私たちにとって、自分が感じていることを一般の人々に感じてもらい、理解してもらうための簡単な手段に過ぎないからです。私たちが賞賛する偉大な巨匠たちは、まさにそれをしたに違いありません。
年老いた頑固者からの心からの挨拶、あなたに心からの握手を。
　　　　　　　　　　　　　　　　　　　ポール・セザンヌ

ポール・セザンヌ
（1839−1906）から
エミール・ベルナールへ
1906年9月21日

　これは、初老のポール・セザンヌが、1904年に彼を初めて訪れた若い画家で作家のエミール・ベルナールに送った一連の手紙の最後のものである。ベルナールが望んでいたように（彼は既にゴッホから受け取った手紙を本にして出版していた）、彼らの交信は、セザンヌが彼のアートに対して最も深く感じている考えをいくつか引き出した。「円柱、球、円錐によって自然を扱う」。「我々は、我々より以前にあったものを全て忘れ、我々の目に見えるもののイメージを表現しなければならない」。またセザンヌは手紙の中で「私はこれまでずっと努力し続けてきた目標に到達できるだろうか？」とベルナールに尋ねている。数週間後の10月17日、彼はアーティスト向け画材商に手紙を書き、注文した絵の具がまだ届かないと不満を漏らしている。その後の10月22日、エクス＝アン＝プロヴァンスの庭で絵を描いている途中に倒れ、自分自身への約束をほぼ果たした後、セザンヌはこの世を去った。

年　代　順

年表軸

—1482—　1600—　1700—　1800—　　　　1900—

年表上段（番号・人物・日付）

- 122　レオナルド・ダ・ヴィンチからルドヴィーコ・スフォルツァへ　1482年頃
- 054　セバスティアーノ・デル・ピオンボからミケランジェロ・ブオナローティへ　1519年12月29日
- 078　ベンヴェヌート・チェッリーニからミケランジェロへ　1560年3月14日
- 102　グエルチーノ／パオロ・アントニオ・バルビエリから不詳の人へ　1636年
- 110　ピーテル・パウル・ルーベンスからバルサザール・ガービアへ　1640年4-5月
- 040　朱耷（別名、八大山人）から方士琯へ　1688-1705年頃
- 214　トマス・ゲインズバラからトマス・ハーヴェイへ　1788年5月22日
- 080　ジョン・コンスタブルからジョン・トマス・スミスへ　1797年1-3月
- 036　ウィリアム・ブレイクからウィリアム・ヘイリーへ　1804年3月12日
- 166　ヘンリー・フュースリーから不詳の人へ　1823年9月29日
- 180　ギュスターヴ・クールベからフィリップ・ドゥ・シュヌヴィエールへ　1866年4月
- 106　ピエール＝オーギュスト・ルノワールからジョルジュ・シャルパンティエへ　1875-1877年頃10月15日
- 154　オーギュスト・ロダンからカミーユ・クローデルへ　1886年頃
- 050　ポール・ゴーギャンからフィンセント・ファン・ゴッホへ　1888年10月1日
- 156　カミーユ・クローデルからオーギュスト・ロダンへ　1890または1891年夏
- 182　オーブリー・ビアズリーからフレデリック・エヴァンズへ　1893年頃
- 030　グスタフ・クリムトからヨーゼフ・レインスキーへ　1894年5月19日
- 042　カミーユ・ピサロからジュリー・ピサロへ　1896年10月25日
- 114　ウィンスロー・ホーマーからトマス・B・クラークへ　1901年1月4日
- 216　ポール・セザンヌからエミール・ベルナールへ　1906年9月21日
- 142　ポール・ナッシュからマーガレット・オーデへ　1913年6月25日
- 020　ヴァネッサ・ベルからダンカン・グラントへ　1916年9月頃
- 150　アルフレッド・スティーグリッツからジョージア・オキーフへ　1917年6月9日

年表下段（日付・人物・番号）

- 1506年2月7日　アルブレヒト・デューラーからヴィリバルト・ピルクハイマーへ　202
- 1550年12月20日　ミケランジェロ・ブオナローティからリオナルド・ディ・ブオナロート・シモーニへ　022
- 17世紀初頭　王志登から友人へ　090
- 1639年2月中旬　レンブラント・ファン・レインからコンスタンティン・ホイヘンスへ　178
- 1650年頃　ニコラ・プッサンからポール・スカロンへ　164
- 1746年9月21日　ウィリアム・ホガースからT・Hへ　126
- 1773年10月16日　ジョシュア・レノルズからフィリップ・ヨークへ　172
- 1794年7月　フランシスコ・ルシエンテス・イ・ゴヤからマーティン・ザパターへ　016
- 1806年10月18日　ジャン＝オーギュスト＝ドミニク・アングルから　140
- 1853年7月26日　ジョン・ラスキンから不詳の人へ　198
- 1873年7月16日　ジョン・リンネルからジェームズ・ミュアヘッドへ　186
- 1880年8月2日　エドゥアール・マネからウジェーヌ・マウスへ　064
- 1885年9月8日　エドワード・リアからハラム・テニソンへ　192
- 1888年5月　クロード・モネからベルト・モリゾへ　072
- 1888年10月17日　フィンセント・ファン・ゴッホからポール・ゴーギャンへ　052
- 1893年6月6日　ジェームズ・マクニール・ホイッスラーからフレデリック・H・アレンへ　170
- 1895年3月8日　ビアトリクス・ポッターからノエル・ムーアへ　026
- 1897-1898年頃　エドワード・バーン＝ジョーンズからダフネ・ギャスケルへ　118
- 1905年9月5日　メアリー・カサットからジョン・ウェズリー・ビーティへ　124
- 1911年9月　エゴン・シーレからヘルマン・エンゲルへ　044
- 1916年1月中旬　マルセル・デュシャンからシュザンヌ・デュシャンへ　060
- 1916年11月16-19日　パブロ・ピカソからジャン・コクトーへ　152
- 1918年夏　ジョージア・オキーフからアルフレッド・スティーグリッツへ

1918年〜1995年（上段：新しい順）

- (084) シンディ・シャーマンからアーサー・C・ダントーへ — 1995年3月8日
- (146) ジュールズ・オリツキーからジョアン・オリツキーへ — 1981–2004年頃
- (076) マイク・バーからマリーナ・アブラモヴィッチとウライへ — 1978年7月24日
- (104) ナンシー・スペロからルーシー・リパードへ — 1976年2月
- (132) ジュディ・シカゴからルーシー・リパードへ — 1973年夏
- (070) ロバート・スミッソンからエンノ・デベリングへ — 1971年9月6日
- (032) ジャスパー・ジョーンズからレオ・カステリへ — 1970年1月1日
- (128) ヨーゼフ・ボイスからオットー・マウアーへ — 1966年11月16日
- (112) サイ・トゥオンブリーからレオ・カステリへ — 1964年1月頃
- (108) ロイ・リキテンスタインからエレン・H・ジョンソンへ — 1963年4月5日
- (116) エヴァ・ヘスからヘレネ・パパネクへ — 1959年4月6日
- (144) アド・ラインハルトからセリーナ・トリエフへ — 1955年2月18日
- (062) マーク・ロスコからリー・クラスナーへ — 1956年8月16日
- (138) ジョアン・ミッチェルからマイケル・ゴールドバーグへ — 1951年夏
- (088) アンディ・ウォーホルからラッセル・ラインズへ — 1949年
- (188) レオノーラ・キャリントンからクルト・セリグマンへ — 1948年
- (028) ジョージ・グロスからエーリヒ・S・ハーマンへ — 1945年7月
- (094) ピエト・モンドリアンからクルト・セリグマンへ — 1940年代初頭
- (018) ルシアン・フロイドからスティーブン・スペンダーへ — 1938年4月17日
- (176) ナウム・ガボからマルセル・ブロイヤーへ — 1936年6月6日
- (038) アレクサンダー・カルダーからアグネス・リンジ・クラフリンへ — 1928年12月
- (148) ジャン・コクトーから不詳の人へ — 1921年11月
- (194) カジミール・マレーヴィチからアナトリー・ルナチャルスキーへ — 1920年11月8日
- (068) フランシス・ピカビアからアルフレッド・スティーグリッツへ — 1918年8月17日
- (196) ジョルジュ・ブラック、マルセル・ブラックからポール・ダーメ、キャロライン・ゴールドスタインへ

── **1995** ──

1920年〜1988年（下段：新しい順）

- (074) デイヴィッド・ホックニーからケネス・E・タイラーへ — 1988年9月14日
- (208) アナ・メンディエタからジュディス・ウィルソンへ — 1980年8月20日
- (074) ウライ、マリーナ・アブラモヴィッチからマイク・バーへ — 1978年6月
- (094) 草間彌生からドナルド・ジャッドへ — 1974年6月26日
- (092) オノ・ヨーコ、ジョン・レノンからジョゼフ・コーネルへ — 1971年12月23日
- (204) カール・アンドレからエヴァ・ヘスへ — 1970年4月17日
- (130) アグネス・マーティンからサミュエル・J・ワグスタッフへ — 1967–1968年
- (098) フィリップ・ガストンからイリーヌ・アッシャーへ — 1967年
- (206) ジョアン・ミロからマルセル・ブロイヤーへ — 1963年8月26日
- (174) ジョゼフ・コーネルからマルセル・デュシャンへ — 1959–1968年
- (210) ヘレン・フランケンサーラーからマリア・ホフマン、ハンス・ホフマンへ — 1959年
- (200) ロバート・マザウェルからマリア・ホフマン、ハンス・ホフマンへ — 1958年7月7日
- (086) リー・クラスナーからジャクソン・ポロックへ — 1956年7月1日
- (136) アニ・アルバースからグロリア・フィンへ — 1954年3月15日
- (168) フランシス・ベーコンからエリカ・ブラウセンへ — 1951年2月22日
- (120) ドロシア・タンニングからジョゼフ・コーネルへ — 1948年3月3日
- (046) ジャクソン・ポロックからルイス・バンスへ — 1946年6月2日
- (206) ヘンリー・ムーアからジョン・ローゼンスタインへ — 1941年11月9日
- (158) フリーダ・カーロからディエゴ・リベラへ — 1940年
- (014) サルバドール・ダリからポール・エリュアールへ — 1939年9月
- (136) ダヴィッド・アルファロ・シケイロスからジャクソン・ポロック、サンデ・ポロック、ハロルド・リーマンへ — 1936年12月
- (168) ベン・ニコルソンからバーバラ・ヘップワースへ — 1931年
- (058) アイリーン・エイガーからジョゼフ・バードへ — 1928年夏
- (194) ベレニス・アボットからジョン・ヘンリー・ブラッドリー・ストーズへ — 1921年7月19日
- (056) ポール・シニャックからクロード・モネへ — 1920年7月21日

索 引

手紙のページは
太字で表示されています。

図版権利の帰属先

当出版社は、この本に収められた手紙の複製を許可し
てくださった下記の関係各位に深く感謝申し上げます。
帰属先の正確な表記のために万全を期しております
が、万一、不注意による誤記や遺漏があった場合には、
次版で修正いたします。

著者謝辞

コンテクスト情報、翻訳、手紙のデジタル画像の所在確認に関する寛大なご支援に対して、私は大英図書館のキャサリン・アンガーソン並びにアンドレア・クラーク、コートールド・ギャラリーのオキュン・チェ並びにケティ・ゴッタルド、アシュモレアン博物館のアリス・ハワード、コートールド美術研究所のジェシカ・リン並びにアリス・マホニー、ジェズン・マホニー、イアン・マッセイ、シーラ・マクティー、テイトのダラグ・オドノヒュー、そしてジェマ・ロードス各氏に心から謝意を表させて頂きます。また辛抱強く、素晴らしい才能を発揮してくださったホワイト・ライオン社の編集者ニッキー・デイビス並びにマイケル・ブランストローム両氏、そして最後に画像の素晴らしい研究調査に携わってくださったアリソン・スティーブンス氏に深く感謝申し上げます。

著者プロフィール

Michael Bird／マイケル・バード

作家、美術史家、ラジオ司会者。ロンドンに生まれ、オックスフォードのマートン大学で学ぶ。著書に、リン・チャドウィック、サンドラ・ブロー、ブライアン・ウィンター、ジョージ・フラードに関する研究書や、『The St Ives Artists: A Biography of Place and Time（セント・アイヴスのアーティストたち：場所と時間の伝記）』などがある。ベストセラーとなった『100 Ideas that Changed Art（アートを変えた100のアイデア）』は9ヶ国語に翻訳されている。『ゴッホはなぜ星月夜のうねる糸杉をえがいたのか』（エクスナレッジ刊、2016年）は、68の物語で4万年に及ぶアートの歴史を旅する、マイケル最初の子供向けの本。現在は大英図書館のグディソン奨学金を獲得し、本や展覧会のために現代アーティストのオーラル・ヒストリーを研究調査し、アーカイブ化を進めている。アーティストのフェリシティ・マーラ夫人と共にコーンウォールに在住。

訳者プロフィール

大坪健二／おおつぼけんじ

1949年、長崎県に生まれる。京都大学文学部哲学科美学美術史専攻卒業。富山県立近代美術館（2017年閉館）に学芸員、学芸課長、副館長として勤務した後、現在は富山大学人文学部・芸術文化学部非常勤講師。文学博士（大阪大学）。専門はアメリカ美術史・美術館史、ミュージオロジー。
主な担当展覧会：「富山国際現代美術展」（1981年）、「ジョージ・シーガル展」（1982年）、「現代版画ロンドン―ニューヨーク」展（1983年）、「生誕100年記念アルプ展」（1985年）、「ミロの世界」展（1986年）、「サム・フランシス展」（1988年）。
主な著書・論文：『アルフレッド・バーとニューヨーク近代美術館の誕生』（三元社／2013年）、「20世紀初頭におけるアメリカ美術史学と美術館学の成立に関する一研究――ハーバード大学フォッグ美術館准館長ポール・サクスの《ミュージアム・コース》を中心に――」（第38回2009年度三菱財団人文科学研究助成／2011年）。

日本語版版権所有

Artists' Letters
by Michael Bird

Introduction and commentaries © 2019 Michael Bird
Illustrations and translations © as listed on pages 222–3
© British Library Board. All rights reserved/ Bridgeman Images.

Japanese translation rights arranged with
White Lion Publishing, an imprint of The Quarto Group
through Japan UNI Agency, Inc., Tokyo

アーティストの手紙
ダ・ヴィンチ、ゴヤ、モネ、ロダン、ウォーホル…100人の気がかり

2020年3月20日　第1刷発行

著　者	マイケル・バード
訳　者	大坪健二
装　幀	相澤事務所
発行者	田上妙子
カバー印刷	図書印刷株式会社
発行所	株式会社マール社
	〒113-0033
	東京都文京区本郷1-20-9
	TEL 03-3812-5437
	FAX 03-3814-8872
	https://www.maar.com/

ISBN978-4-8373-0685-6
Cover printed in Japan
© Maar-sha Publishing Co., Ltd. 2020

Printed in China

乱丁・落丁の場合はお取り替えいたします。